EL SÍNDROME DE ULISES

Joseba Achotegui

EL **SÍNDROME** DE **ULISES**

*Contra la deshumanización
de la migración*

© Joseba Achotegui, 2020

Cubierta: © Cristóbal Toral, *Ensamblaje con objetos*, 2006 (252 × 392 cm).
Técnica mixta.
Corrección: Carmen de Celis

Derechos reservados para todas las ediciones en castellano

© Ned ediciones, 2020

Primera edición: septiembre, 2020

Preimpresión: Moelmo SCP
www.moelmo.com

ISBN: 978-84-16737-88-8
Depósito Legal: B.188-2020

Impreso en PodiPrint
Printed in Spain

Ned Ediciones
www.nedediciones.com

ÍNDICE

TERCERA PARTE

UN CUADRO REACTIVO DE ESTRÉS
QUE SE UBICA EN EL ÁREA
DE LA SALUD MENTAL

CUARTA PARTE

EL SÍNDROME DEL INMIGRANTE
CON ESTRÉS CRÓNICO Y MÚLTIPLE:
ESTRESORES Y SINTOMATOLOGÍA

QUINTA PARTE

DIAGNÓSTICO DIFERENCIAL
DEL SÍNDROME DE ULISES
CON LOS TRASTORNOS MENTALES

A Mourat, a Aicha, a Juan, a Idrissi, a Javed, a Carolina, a Habiba, a Wafa, a Alexis... y a tantos otros Ulises del siglo XXI a los que he tenido el privilegio de conocer, en agradecimiento a los valores humanos que me han transmitido. Que este libro sirva como un pequeño homenaje de admiración a su enorme coraje, generosidad y fidelidad a los suyos como el Ulises de la *Odisea*.

Introducción
La deshumanización de la migración

Cíclope, ¿me preguntas mi ilustre nombre? Pues voy a decírtelo. Mi nombre es Nadie. Nadie me llaman siempre
mi madre, mi padre y todos mis camaradas.

Odisea, canto IX, página 202

Quisiera comenzar este libro señalando que, al hacer referencia a la
migración, se tiende con frecuencia a prestar atención de modo
preferencial —cuando no exclusivo— a los aspectos demográficos,
sociológicos y económicos de este fenómeno, descuidándose habitualmente el abordaje de los aspectos emocionales, humanos, que
son tan importantes o más que los anteriormente citados. Yendo
aún más lejos, incluso podríamos llegar a decir que «la migración»
como tal no existe; lo que en realidad hay son personas que emigran, emigrantes. La migración es básicamente un constructo, por
interesante que resulte. Consideramos, por tanto, que hay una tendencia a desvalorizar los aspectos humanos de la migración, el lado
psicológico, la psique (el alma). Porque no todo son gráficas, tablas (aunque sean de color) o algoritmos. Es importante acercarse
al «corazón» del protagonista de la migración: el inmigrante.

Hace casi 4000 años, otras civilizaciones fueron más sensibles
que la nuestra a los sufrimientos de estas personas y plasmaron en
la figura de Ulises el mito imborrable del desplazado, el viajero que

no logra llegar a su destino y naufraga una y otra vez en la soledad, el miedo y la adversidad.

A veces, cuando oigo ciertos discursos acerca de los inmigrantes, aunque estén cargados de buena voluntad, no puedo dejar de preguntarme de qué están hablando: ¿de datos sobre tráfico de contenedores, de mercancías, de sacos de patatas que se traen y se llevan... o de movimientos de personas, de seres humanos? Estos planteamientos no son casuales, sino que forman parte de una tendencia creciente a la deshumanización, muy patente en nuestra sociedad y que nos arrastra a todos. Este tema se relaciona con la polémica sobre el humanismo de Heidegger, Sloterdijk y Habermas, entre otros.

La existencia de un riesgo de deshumanización en nuestra sociedad es una de las razones por las que hemos utilizado el nombre de Ulises para el síndrome que describimos en este libro, en un intento de volver a las raíces del humanismo griego y de rehumanizar la migración. Hay que ponerse en la piel de esas personas y mirarlas a los ojos, sobre todo a aquellas que están viviendo situaciones extremas. Eso, obviamente, es más duro: los números producen menos ansiedad que las miradas. No quisiera que este comentario se interpretara como una crítica a una valiosa línea de estudios e investigaciones sobre la migración, sino al hecho de que estos estudios no se complementen con el aspecto humano del sujeto, que no debemos olvidar. La migración no se agota en el número, en cuántos son. Lo más importante es saber quiénes son. Existe el peligro de reificar (y deificar) los datos. No negamos su valor, pero debemos intentar ir más allá.

Las relaciones entre el estrés social y la salud mental constituyen un tema cada vez más importante en la investigación y en la atención clínica (mobbing, burnout, etcétera), pero, si existe un área en la que los estresores psicosociales poseen una dimensión cuantitativa y cualitativamente relevante y difícilmente discutible desde la perspectiva de sus relaciones con la salud mental, esa área es la de las migraciones del siglo XXI.

Emigrar se está convirtiendo para millones de personas en un proceso que posee unos niveles de estrés tan intensos que superan la capacidad de adaptación de los seres humanos. Estas personas son las candidatas a padecer el síndrome del inmigrante con estrés crónico y múltiple o síndrome de Ulises (haciendo mención al héroe griego que sufrió innumerables adversidades y peligros lejos de sus seres queridos). El conjunto de síntomas que conforman este síndrome constituyen hoy un problema de salud mental emergente en los países de acogida de los inmigrantes.

En este libro se postula la existencia de una relación directa e inequívoca entre el grado de estrés límite que viven estos inmigrantes y la aparición de su sintomatología: la persona padece determinados estresores (adversidades, dificultades) que se manifiestan en un amplio conjunto de síntomas psíquicos y somáticos, enmarcados en el área de la salud mental (ámbito más amplio que el de la psicopatología).

En la primera parte se aborda el tema de la migración y la salud mental. Se plantea la pregunta que constituye la raíz de este texto: si los humanos somos buenos emigrantes, ¿por qué emigrar nos afecta tanto en la actualidad? La paradoja surge del hecho de que si la migración es un fenómeno natural ligado a las leyes de la evolución, hasta el punto de que se señala que la capacidad de emigrar es una de las señas de identidad de nuestra especie, ¿por qué ahora resulta tan difícil? Como se irá mostrando a lo largo del libro, la respuesta se basa en las terribles circunstancias en las que se está viviendo hoy la migración. Se comparan los datos que poseemos de nuestras propias investigaciones sobre la salud mental de las migraciones de las últimas décadas del siglo pasado con los datos sobre las migraciones en situación extrema de hoy.

En la segunda parte se expone la razón por la que se denominó síndrome de Ulises al síndrome del inmigrante con estrés crónico y múltiple. Se hace referencia a las odiseas de ayer y de hoy, a los padecimientos de los inmigrantes en situación extrema —soledad, tristeza, indefensión—, comparándolos con los del héroe griego. Los especialistas en la *Odisea* la consideran una poesía de inmigrantes, por lo que la expresión «mi nombre es Nadie» resume perfectamente la pérdida de identidad, autoestima, integración social y salud mental.

En la tercera parte se analiza el cuadro reactivo de estrés en el área de la salud mental: los aspectos epistemológicos del diagnóstico en salud mental, el concepto actual de «síndrome», el dilema ético ante las migraciones del siglo XXI, etcétera. Se presenta el síndrome de Ulises como cuadro reactivo de estrés desde la perspectiva del DSM-V, así como la escala que evalúa las adversidades en la migración y sus consecuencias en la salud mental.

En la cuarta parte se describe con mayor detenimiento el síndrome de Ulises. En primer lugar, se estudian los estresores más relevantes desde la perspectiva de la salud mental: la soledad por la separación forzada de los seres queridos, la ausencia de oportunidades y el fracaso del proyecto migratorio, la lucha por la supervivencia, y el terror, el miedo y la indefensión. Es importante señalar que hay una serie de factores que potencian los estresores, como la multiplicidad, la cronicidad, la ausencia de control sobre la situación y los fuertes déficits en la red de apoyo social. Los propios síntomas reactivos acaban convirtiéndose en estresores. Por su parte, la inadecuada intervención del sistema sanitario y psicosocial

—por desinterés, desconocimiento, racismo o errores en el diagnóstico— confunde este cuadro reactivo de estrés con una depresión, un trastorno adaptativo o una enfermedad orgánica, y pone en marcha tratamientos inadecuados que se convierten en nuevos estresores para los inmigrantes. En relación con la sintomatología del síndrome de Ulises, se señala que pertenece a diferentes áreas —depresiva, de la ansiedad, psicosomática y confusional— y que puede ser interpretada culturalmente.

En la quinta parte se realiza un acercamiento al diagnóstico diferencial del síndrome con relación a los trastornos depresivos, adaptativos, por estrés postraumático y psicóticos. Se recalca que el síndrome de Ulises pertenece al área de la salud mental, no al área de la enfermedad mental, ya que es un cuadro reactivo de estrés, un duelo extremo, una situación de crisis que en algunos casos puede ser la antesala de la enfermedad. Se muestra cómo la regularización de 2005 en España dio lugar a que el cuadro desapareciera cuando dejaron de actuar sobre los inmigrantes los estresores extremos que lo habían provocado.

En la última parte se presentan algunos casos de inmigrantes con síndrome de Ulises y otros con trastornos mentales, y se analiza el diagnóstico diferencial. Se señalan también sucintamente los planteamientos acerca de la intervención desde la perspectiva de la prevención.

PRIMERA PARTE

ESTRÉS Y DUELO MIGRATORIO EN EL MUNDO DE HOY

La migración como fenómeno natural ligado a las leyes de la evolución

> Pero el hombre no es un árbol: carece de raíces, tiene pies, camina. Desde los tiempos del *homo erectus* circula en busca de pastos, de climas más benignos [...]. El espacio convida al movimiento.
>
> Juan Goytisolo

En el año 2003, la revista *Science* señalaba que los humanos somos una especie muy bien dotada para la migración. Es más, esta capacidad migratoria y las habilidades para adaptarnos a los diferentes ambientes constituirían una de las características distintivas que poseemos como especie y contribuirían a explicar nuestro éxito evolutivo. Este dato es fácilmente comprobable. En los poco más de 100.000 años que llevamos fuera de nuestra cuna africana, los seres humanos hemos sido capaces de adaptarnos a todos los hábitats del planeta Tierra, por extremos que fueran. Hoy habitamos desde los desiertos más inhóspitos imaginables (pensemos, por ejemplo, en los tuaregs) hasta las zonas polares más extremas (inuits, siberianos), las selvas más impenetrables (los yanomanis del Amazonas), o las islas más remotas y aisladas (los habitantes de la isla de Pascua, en la Polinesia). No cabe duda de que, en cuanto los medios tecnológicos lo permitan, viajaremos por el espacio tan lejos como podamos. Desde la perspectiva evolucionista se indica que nuestra gran diversidad genética —asociada a la facultad para combinar eficazmente cooperación y competición social— favorece que siempre haya alguien dispuesto a ir hasta el límite, a ir más allá.

De hecho, la tendencia a emigrar, a ocupar el espacio disponible, se desprende de la segunda ley de la termodinámica, que establece que todo tiende a expandirse e incrementar su entropía.

Los humanos descendemos de seres que a lo largo de la evolución han emigrado exitosamente en numerosas ocasiones, por lo que poseemos una gran capacidad para adaptarnos a los cambios migratorios. La movilidad de nuestra especie ha constituido más la norma que la excepción. De hecho, los primates humanos, los homínidos, somos un conjunto de especies emigrantes.

Más de 20 oleadas de homínidos abandonaron África en los últimos cinco millones de años: primero, el grupo de los Australopitecus, que vivieron hasta hace dos millones de años, y después, ya dentro del género Homo, el Homo habilis, el Homo ergaster, el Homo erectus y, finalmente, nuestra especie, el Homo sapiens sapiens. Mientras que los primates no humanos han permanecido en los mismos hábitats cálidos de los que provenimos todos los primates, los primates humanos, los homínidos, especialmente el Homo sapiens sapiens, en apenas unas 7500 generaciones hemos llegado a ocupar todos los hábitats del planeta.

Es cierto que los primates no humanos (gorilas, chimpancés, etcétera) se parecen mucho a nosotros, en ocasiones incluso demasiado para nuestro narcisismo: podemos verlos en actitudes pensativas, casi filosóficas; sabemos que establecen fuertes vínculos y tienen duelos similares a los nuestros (las fotos de una gorila de un zoológico de Alemania que no quería separarse de su cría muerta dieron la vuelta al mundo); incluso se ha descrito que poseen sentido del humor, y hasta les gusta gastar bromas pesadas, como a algunos humanos. Sin embargo, entre los aspectos que los diferencia de nosotros está el de emigrar: los primates no humanos no se han lanzado a explorar y colonizar el planeta como nosotros.

Así, esta historia, nuestra historia como especie Homo sapiens, comienza hace poco más de 100.000 años en algún lugar de Kenia, en el África oriental. Unas 7000 generaciones nos separan a la mayoría de los humanos, que hoy vivimos en los cinco continentes, de la Eva africana, nuestra madre común, tal como demuestran los estudios del ADN mitocondrial que heredamos de nuestras madres. Al mismo resultado llegan los análisis del cromosoma Y masculino.

Lo que podríamos denominar «naturaleza humana» posee valiosos elementos que nos posibilitan emigrar con éxito. Los más importantes son:

1. El desarrollo cognitivo y emocional, que nos permite manejar información muy compleja.
2. La estructura social, que combina cooperación y competición de modo muy eficiente.
3. La excelente capacidad de motilidad, sobre todo en desplazamientos largos, dada nuestra extraordinaria capacidad de transpiración que nos permite caminar o correr largo rato sin ahogarnos (no vamos con la lengua fuera).
4. Una buena capacidad de orientación temporal y espacial, aunque, en este aspecto, otras especies nos superan con claridad.

Todo ello nos ha permitido ir allá donde había mejores posibilidades de supervivencia y reproducción.

Como señalan Crawford y Campbell (2012), los estudios genéticos muestran que los pioneros en emigraciones, las primeras personas en emigrar de un grupo (los denominados *primary migrants*), tienen un funcionamiento dopaminérgico activo que se ha relacionado con la expresión de los genes DRD2 y DRD4. También poseen rasgos de personalidad asociados a una fuerte motivación y una búsqueda de logros (Boneva y Frieze, 2001; Silventoinen *et al.*, 2008).

Emigrar es una actividad ligada a la evolución: la vida se abre camino. Para un biólogo, la migración no es un tema tan misterioso como puede parecernos a los profanos de esta área del conocimiento, sino una materia más de su temario. La migración intervendría en la evolución a través del concepto de deriva genética, el denominado efecto fundador, que explica por qué los grupos que emigran —dado que poseen un patrimonio genético particular y distinto al de la sociedad de origen, y se hallan sometidos a presiones ambientales diferentes al vivir en otro lugar— constituyen, al cabo de pocas generaciones, otros grupos con características propias.

Los tres pilares de la evolución serían los siguientes:

1. La mutación. Continuamente surgen nuevas variantes genéticas de lo que existe. La mayoría son neutras y no aportan beneficios, tal como demostraron las investigaciones de Kimura (1983).
2. La migración. Permite agrupar genes a través del mecanismo conocido como «deriva genética», de modo que al reproducirse entre sí dan lugar a variaciones respecto del grupo inicial.
3. La selección natural. Da lugar a que sobrevivan fundamentalmente aquellas formas de vida que se adaptan al medio.

En la naturaleza se dan ejemplos prodigiosos de capacidad migratoria (*Sciences et Avenir*, 2005):

- El charrán ártico, un pequeño pájaro que viaja cada año 65.000 kilómetros, del polo norte al polo sur; dada su fisiología, necesita siempre la luz solar.
- Las ocas, que en su ruta migratoria cruzan anualmente la cordillera del Himalaya a una altura de más de 9000 metros. Algunos pilotos se han cruzado con ellas a 11.000 metros de altitud y a 50 grados bajo cero.
- El colibrí de cuello rubí, el pájaro más pequeño que realiza una ruta migratoria. Solo pesa tres gramos.

Con referencia a los humanos, hay que tener en cuenta que las migraciones representan una parte muy importante de nuestra memoria colectiva, de nuestra historia, de nuestros referentes, del imaginario común de la humanidad: pensemos en la Hégira, en los viajes de Abraham y Moisés, que constituyen un símbolo de profunda transformación y tienen una dimensión espiritual.

Las migraciones son uno de los grandes motores de la historia. Naturalmente, hay muchos tipos de emigración: como colono, como esclavo, como trabajador, etcétera. En el siglo XXI se emigra con frecuencia como clandestino.

De todos modos, en el mundo actual, con la enorme mejora de las comunicaciones, se han polarizado las condiciones en las que se produce la migración y nos hallamos ante dos grandes tipos de inmigrantes en situación opuesta:

1. Los ricos, que viven una migración incomparablemente mejor que la de épocas anteriores: pueden ir a su país de origen

cuando les plazca, en pocas horas, o traer a los familiares a su lugar de residencia; no se pierden ningún acontecimiento o festejo familiar. Nunca emigrar había sido tan fácil.

2. Los inmigrantes en situación extrema, a los que las leyes impiden traer a su familia, que no pueden regresar dado lo difícil que resulta llegar aquí, que han de realizar auténticas odiseas para llegar a su destino en un mundo lleno de vallas y muros, a los que se les niegan todas las oportunidades, se les acosa, se les persigue. Nunca emigrar había sido tan difícil.

Viejas y nuevas migraciones

> No es lo mismo emigrar en barco,
> en condiciones difíciles,
> que emigrar en patera,
> en condiciones extremas.

Tal como hemos indicado en el apartado anterior, aunque la migración es un fenómeno tan antiguo como la humanidad —junto a la mutación y la selección natural, es uno de los motores de la propia evolución—, y la historia de las migraciones forma parte de la propia historia de la humanidad, cada migración posee características específicas y en los últimos años se ha percibido claramente un cambio de las circunstancias en este contexto. Las migraciones del siglo XXI se producen en condiciones muy difíciles, tal como describe el síndrome de Ulises.

Basándonos en las investigaciones que efectuamos en la década de 1980 en la Fundació Vidal i Barraquer de Barcelona, hemos podido comparar la salud mental de los migrantes de la segunda mitad del siglo XX con la de los actuales. De esta comparación ha surgido el planteamiento del síndrome de Ulises, al constatar hasta qué punto han empeorado las circunstancias de las nuevas migraciones. Este cambio puede apreciarse fácilmente si comparamos dos fotos de distintas épocas: la foto de un grupo de emigrantes españoles de la década de 1960 despidiéndose de sus familiares para ir a América en un barco, cantando, emocionados ante la nueva vida llena de retos y oportunidades que tienen por delante, proyectando «hacer las Américas»; y una foto de los nuevos emigrantes llegando en patera a nuestras costas, exhaustos, hambrientos, asustados.

Solo con comparar estas dos imágenes está todo dicho: no es lo mismo emigrar en barco que en patera; no es lo mismo emigrar en condiciones difíciles —porque al emigrante nunca le han regalado nada— que hacerlo en condiciones extremas. Por supuesto, ni todo el mundo emigraba antes en barco, ni todo el mundo llega ahora en patera, pero el barco ha sido siempre una imagen prototípica de la migración, mientras que la llegada en patera constituye el único momento en el que esta migración es visible. Después los migrantes se convierten en invisibles, son los nadie, como Ulises en la *Odisea*.

En mi caso, puedo explicar, además, que he visto con mis propios ojos las dos situaciones que acabo de describir. De niño acudí varias veces a despedir a familiares que marchaban a América. Recuerdo perfectamente los cánticos, las despedidas en el puerto de Bilbao o en el de Santander. Recuerdo hasta las hermosas canciones en vasco y castellano que cantábamos. Y también he podido ver con mis propios ojos la llegada de los nuevos inmigrantes en pateras a nuestras costas: hombres, mujeres y niños asustados e indefensos llegar a Tarifa, en la costa de Cádiz, o al faro de la Entallada, en la isla de Fuerteventura. He vivido las dos experiencias emocionales y puedo decir con claridad que son radicalmente diferentes.

LOS INMIGRANTES
DE FINALES DEL SIGLO PASADO

Los tiempos cambian. Las migraciones de la segunda mitad del siglo XX, que pudimos estudiar en su etapa final, son las de otra época de nuestra historia. Era la España de la Lambretta, el tricornio, el sidecar y la sotana. Era una sociedad muy diferente de la actual, cercana a una teocracia: baste decir que cada día se interrumpía la programación de Radio Nacional para rezar el ángelus, o que en Semana Santa no se abrían los cines y las emisoras de radio solo podían emitir música religiosa. España era un país aislado: apenas había extranjeros. La única expresión transcultural era el Domund, el Domingo Mundial de las misiones católicas. Como no había extranjeros ni minorías, los niños se disfrazaban de asiáticos, de africanos o de nativoamericanos. Apenas había entrado nadie en España desde la Edad Media, pero, eso sí, se expulsó en masa a judíos, musulmanes e ilustrados. En el siglo XX emigraron más de seis millones de españoles, el 80% a América.

No solo España ha sido un país de emigrantes; toda Europa ha sido un continente de emigrantes. Se calcula que, entre los siglos XVIII y XIX, más de 70 millones de europeos marcharon a América. En Italia existe incluso una orden religiosa, los scalabrinianos, creada para ayudar material y espiritualmente a los millones de migrantes italianos. Y, como suelen señalar los latinoamericanos con un punto de amargura ante el cúmulo de obstáculos con los que se encuentran ahora para emigrar, «que se sepa, nadie les pidió un visado», al contrario de lo que se hace actualmente con ellos en Europa.

La imagen de las migraciones de la segunda mitad del siglo XX es la de hombres y mujeres cargados con maletas, muchas veces de cartón, atadas con cuerdas. Aquella fue una etapa de grandes movimientos humanos. De todos modos, esa migración ha sido negada; parece que nunca hubiera existido. Las personas que emigraron del sur al norte de España se dejaron la piel trabajando, aunque apenas se ha reconocido que sin su esfuerzo no habríamos conseguido el desarrollo actual. No obstante, a diferencia de lo que ocurre con las migraciones actuales, podían traer a la familia, se les dieron oportunidades de progreso y funcionó el ascensor social: la mitad de mis alumnos de la Universidad de Barcelona tienen apellidos castellanos. Esto es una muestra del éxito de la integración social en Catalunya. El reto está ahora en las nuevas migraciones, que llegan en un contexto mucho más difícil y no pueden progresar, no pueden tomar el ascensor social. Los últimos datos indican que tan solo el 1,5% de los hijos de estos inmigrantes llegan a la universidad. Es una cifra terrible que presagia, en los próximos años, una enorme fractura social si no se pone remedio pronto a esta injusticia.

A veces parece que se culpabiliza al emigrante por emigrar y se considera que ha de someterse a todo, en una especie de castigo bíblico que prima el modo de vida sedentario, que penaliza el movimiento, al contrario de lo que expresa el texto de Goytisolo con el que iniciamos el primer apartado.

En las migraciones de las décadas de 1960 y 1970 también se vivieron situaciones extremas, aunque aisladas, no estructurales como las de ahora. Baste recordar que tan solo en las riadas de 1962, en la comarca del Vallés de Catalunya, hubo más de mil muertos entre los inmigrantes que vivían en chabolas en el cauce de los ríos; que hubo inmigrantes, procedentes de Andalucía, que fueron retenidos unas semanas en el pabellón de las Misiones de Montjuich; o que entre 1952 y 1957 fueron devueltos 15.000 inmigrantes desde la estación de Francia, en Barcelona, por no poder demostrar quién los reclamaba. No obstante, se ha de hacer constar que volvían atrás y podían entrar en la ciudad por otro lugar sin ningún problema. También hubo momentos puntuales de mayores controles en las fronteras europeas. De todos modos, eran otros tiempos. Aún no había muros.

LOS INMIGRANTES
EN SITUACIÓN EXTREMA DE HOY

Desde hace apenas unos años, nos encontramos ante una nueva era de las migraciones humanas: la era de los muros, las empalizadas, las vallas, y todo parece indicar que esta situación no es coyuntural sino estructural con relación al capitalismo neomanchesteriano dominante, el cambio climático y la globalización deshumanizada, basada en criterios meramente económicos neoliberales, entre otros factores.

Por otra parte, entre la década de 1960 y la etapa actual, España ha cambiado profundamente. La tasa de reproducción es de 1,24, cuando se requiere un mínimo de 2,1 para mantener el nivel de población, para no perder población. Hoy en nuestras ciudades hay dos ancianos por cada niño, y el porcentaje de nulíparas —mujeres sin descendencia— no deja de crecer. Catalunya tendría hoy dos millones de habitantes (tiene 7,5) de no haber sido por las migraciones que ha recibido este siglo. En medio de esta enorme caída demográfica, Europa va camino de convertirse en un geriátrico, en un asilo, y a veces parece un asilo manicomial. Eso sí, con las fronteras bien cerradas.

En Europa se gasta ya más en pañales para viejos que para niños. En los supermercados y los centros comerciales hay una sección denominada «Incontinencia». En las casas es posible encontrar de todo —perros, gatos, hámsteres, serpientes y hasta caimanes—, de todo... menos niños. Este factor hace necesario que cada año aumente el número de inmigrantes para que la economía del país funcione.

Las previsiones de la ONU señalan que el número de emigrantes, que ahora es de 230 millones de personas, se duplique en los próximos 20 años, constituyendo lo que se denomina ya «el sexto continente», el continente móvil. Esta migración, con las fronteras de los países desarrollados prácticamente cerradas, como las de una fortaleza, presagia grandes sufrimientos para millones de personas. Hay países, como Japón, que hasta desarrollan robots para evitar la necesidad de inmigrantes.

Con la llegada de esta migración, España ha cambiado sustancialmente en unos años. Las tocas de las monjas y las sotanas de los curas, que dibujaban el paisaje de la España de la década de 1960, se han trocado en la presencia de los hiyabs (pañuelos), las chilabas y los caftanes de los magrebíes.

De todos modos, donde hay más inmigrantes y desplazados en situación extrema no es en Europa o Estados Unidos, sino en el interior de Asia, África y América (hay millones de desplazados incluso dentro de sus propios países, como en Colombia), y viven en peores condiciones que los inmigrantes de los países occidentales, con mayor grado de indefensión y más riesgo para su salud mental. Muchas de las mujeres que llegan embarazadas tras los largos viajes migratorios han sido violadas, de modo que el anticonceptivo Depo-Provera forma parte ya del *pack* de viaje imprescindible para las mujeres migrantes.

Sin embargo, tal como recoge la película *Un día sin mexicanos*, no se reconoce que los inmigrantes son imprescindibles para que las sociedades desarrolladas funcionen. En la película, una misteriosa nube rosa hace desaparecer a todos los mexicanos de California. Entonces todo se paraliza: las centrales eléctricas y con ellas los semáforos, los ordenadores, la producción de alimentos, etcétera. Cuando finalmente la nube se va, los guardias fronterizos de la migra salen de nuevo a la caza de los mexicanos que cruzan la frontera, pero esta vez no para detenerlos, sino para darles la bienvenida y hacerles entrar a hombros en Estados Unidos: ¡sin ellos nada funciona! Esta película se halla en la línea de *Walkout*, que recoge las protestas de los mexicanos en 1968, que les llevaron a conseguir una serie de derechos sociales. De hecho, hay casos aún más extremos de países que dependen casi exclusivamente de los trabajadores inmigrantes, como Andorra, con un 78%, y sobre todo Qatar, donde solo hay unos miles de autóctonos. Eso sí, los derechos los tienen los autóctonos, no los inmigrantes.

Por suerte, no todos los inmigrantes viven situaciones tan dramáticas como las que describimos, pero pueden contarse por millones los que las padecen.

Más allá de cualquier otra consideración, hoy existe una gran diferencia entre los inmigrantes que tienen papeles (los regularizados) y los que no los tienen; además, hay un numeroso grupo intermedio que se encuentra en un limbo legal. Podemos destacar cinco grupos:

1. Los ricos. Se mueven a placer por todo el mundo. Se considera que no emigran, sino que tienen movilidad. Habitualmente, si compran una casa les dan los papeles.
2. Los inmigrantes regularizados con plenos derechos.
3. Los inmigrantes regularizados que carecen de algunos derechos. Por ejemplo, no se les permite traer a la familia y se les discrimina por ser extranjeros.
4. Los semirregularizados. Los sin papeles sobrevenidos, los que corren el riesgo de perder la documentación, los que no tie-

nen recursos para reagrupar a la familia. En algunos casos, ni siquiera los propios abogados saben en qué situación legal se encuentran.

5. Los sin papeles. Están estructuralmente fuera del sistema. Se calcula que son cincuenta millones, más sesenta millones de refugiados, la mayoría sin protección. Son ya algo estable, como los bancos o la bolsa (Ulrik Beck).

Los grupos 3, 4 y 5 son los principales candidatos a padecer el síndrome de Ulises. Emigrar es hoy una situación de alto riesgo.

Esquema 1. Diferencias entre las migraciones del siglo XXI
y las precedentes

1. Rupturas familiares

Ya no emigran familias enteras, como las que reflejaba la clásica novela *Las uvas de la ira*, de John Steinbeck —en la que los Jaed viajan juntos por la mítica carretera 66 hacia California—, o como las familias que hemos visto tantas veces viajando juntas en las caravanas de las películas del Oeste. Hoy emigran hombres, mujeres, incluso niños, pero ya no viajan juntos. Además, con cada nueva reforma de las políticas migratorias se incrementan los obstáculos y las dificultades para la reagrupación familiar. A esto hay que añadir la «desagrupación familiar», ya que las familias que con tantas dificultades habían logrado reagruparse se están rompiendo nuevamente por la crisis, lo que obliga a reenviar a los niños a los países de origen.

2. Exclusión social estructural

Muchos inmigrantes sufren una radical ausencia de oportunidades. Podríamos decir que, para ellos, no es que el ascensor social se haya estropeado: es que ha sido arrancado de cuajo.

3. Criminalización del inmigrante

En la larga historia de las migraciones —que es la propia historia de la humanidad—, nunca se había considerado que emigrar era un delito, como es un delito, por ejemplo, robar. En julio de 2009 se aprobó en Italia la ley Maroni, que incluye la migración como delito en el código penal.

Paradojas de la migración actual

La imagen del inmigrante es la de la humanidad avanzando, yendo cada vez más allá, y constituye una de las mejores expresiones del espíritu humano, del espíritu de nuestra especie. Como escribía Goytisolo: «Pero el hombre no es un árbol: carece de raíces, tiene pies, camina. Desde los tiempos del *homo erectus* circula en busca de pastos, de climas más benignos [...]. El espacio convida al movimiento». Desde la perspectiva que plantea Goytisolo, consideramos que se abusa de la idea de las raíces, de las metáforas agrarias, sedentarias. La humanidad ha sido nómada la mayor parte de su historia, hasta hace unos miles de años. Sin embargo, a pesar de que las migraciones constituyen un elemento tan importante en la historia de nuestra especie, cada migración varía en función del contexto histórico en el que tiene lugar; no ha habido dos migraciones iguales.

En los inicios del siglo XXI, nos hallamos ante una nueva migración en el marco de la globalización. El estrés, que en otras épocas era de tipo físico, ambiental y climático, ahora es ante todo social: emigrar entre Tánger y Tarifa no supone un gran problema de desplazamiento (apenas hay 14 kilómetros), ni de clima (hace el mismo calor). Es un problema de barreras legales, de ausencia de oportunidades, de persecución, de exclusión social. Nunca en la historia de nuestra especie estas barreras habían sido tan altas, tan sofisticadas, tan brutales para con los inmigrantes.

Recientemente veía una foto de un grupo de astronautas sonrientes, contentos, a punto de iniciar algo tan impactante como un viaje espacial, mientras, incomprensiblemente, cruzar una frontera se ha convertido en un auténtico drama. Hoy es menos estresante ir a la Luna que de Tijuana (México) a San Diego (Estados Unidos) o de Tánger (Marruecos) a Cádiz (España).

Desde la llegada de Trump al gobierno de Estados Unidos —con su política de construcción de «un muro grande y bello» entre este país y México, sus terribles campos de internamiento y la separación forzada de los menores de sus familias—, el pánico se ha desatado entre los inmigrantes, que apenas salen de sus casas y no se atreven ni a ir a la iglesia.

Tal como hemos señalado, descendemos de seres que han emigrado exitosamente muchas veces y llevamos en nuestros genes esa capacidad de adaptación como una ventaja evolutiva. Dicho esto, a renglón seguido hemos de añadir que emigrar no está exento de riesgos, sobre todo si se lleva a cabo en condiciones extremas. Uno de los peajes que los humanos hemos pagado por este trajín migratorio está ligado a la salud mental respecto a la elaboración del duelo migratorio, que constituiría la parte problemática, «el lado oscuro» de la migración, y que puede acabar pasando factura cuando la persona que emigra no lo hace en condiciones óptimas de salud, o cuando el medio de acogida es hostil e impide al sujeto salir adelante, tal como analizaremos más adelante.

¿Existe el derecho a emigrar?

El derecho a emigrar se está perdiendo y convirtiéndose cada vez más en un proceso mercantil en el que las personas adineradas pueden obtener los papeles simplemente comprándose un piso en el nuevo país, mientras que las personas sin recursos se han de jugar con frecuencia la vida para emigrar. Podemos decir que el derecho a emigrar está tarifado: en España y Portugal cuesta 400.000 euros y en el Reino Unido 1.200.000.

Segunda parte

La *Odisea* revisitada: ¿por qué síndrome de Ulises?

Dignificar y acercar
la figura del inmigrante

Homero no describe a Ulises como un viajero impenitente, él tan solo quería estar con los suyos. Ulises no quería aventuras, ni siquiera la inmortalidad que le ofrece la
maga Calipso.

Carlos García Gual,
El País, 28 de enero de 2006

L'Odyssée est une poésie d'immigrants.

Gérard Lambin,
Homère le compagnon, 1995, página 153

Ulises es un héroe altamente conocido y valorado no solo en la tradición occidental, sino también en otras civilizaciones: para los árabes es un auténtico icono, y en países como China y Japón se le
tiene un gran respeto. Ante este hecho surge la pregunta: ¿por qué
no han de ser respetados y valorados también quienes viven hoy en
soledad las mismas o mayores adversidades y peligros que el héroe
griego? Resulta paradójico que haya gente que se embelese y fasci-
ne leyendo las aventuras y desventuras de Ulises y no repare en que
en su misma ciudad, en su mismo barrio, quizás durmiendo en un
banco en la plaza que tienen delante de su casa, hay personas que
padecen sufrimientos similares.

Por esta razón, para dignificar la figura del inmigrante, tantas veces desvalorizada, propuse el nombre de síndrome de Ulises al síndrome del inmigrante con estrés crónico y múltiple. También le puse este nombre para acercarlo emocionalmente más; incluso para provocar cierto debate y favorecer la concienciación sobre esta causa, en mi opinión una de las más relevantes de este siglo.

LA FUERZA EVOCADORA DE LA *ODISEA*

Para los especialistas en mitología clásica como Lambin, catedrático de literatura griega de la Sorbona, la *Odisea* es ante todo «une poésie d'immigrants», ya que narra las adversidades y los peligros que padeció Ulises, un personaje legendario que vivió en el siglo XIII antes de Cristo, un desplazado por una lejana guerra cuyo nombre y cuya historia resonaban por el Mediterráneo siglos después de su épico viaje.

Como es sabido, la *Odisea* fue escrita, hacia el siglo VIII antes de Cristo, por Homero, al que la tradición presenta como un bardo ciego. El relato está ambientado en el siglo XIII antes de Cristo, época en la que está documentada, desde los descubrimientos de Heinrich Schliemann, la destrucción de Troya, una ciudad de gran importancia estratégica, situada en la actual Turquía. Este siglo fue muy relevante históricamente: en él se produjeron las grandes migraciones de los pueblos arios hacia Europa, y tuvo a la *Ilíada* y la *Odisea* como sus máximas expresiones literarias.

La figura de Ulises tuvo ya una enorme resonancia en la propia cultura griega. Para los helenistas, la *Odisea* es la precursora de las tragedias de Esquilo, y está presente en las obras *El cíclope* y *Hécuba* de Eurípides, así como en *Áyax* y *Filoctetes* de Sófocles.

En el siglo III antes de Cristo, la *Odisea* fue traducida al latín por Livius Andronicus, un prisionero griego que había sido deportado a Roma, donde esta obra fue muy valorada. Numerosas inscripciones en sepulcros y lugares artísticos romanos mencionan a Ulises y la *Odisea*. La más clara expresión de este conocimiento es que el propio nombre que nos ha llegado es el latino Ulises, frente al griego Odiseo.

En el siglo XV, en Florencia, la *Odisea* fue uno de los primeros libros que se beneficiaron de la imprenta, lo que permitió una gran difusión de la obra. Generación tras generación, los humanos se han identificado con Ulises y sus adversidades. Esta gran difusión de la *Odisea* ha llevado a que se haya convertido en un relato común en todo el Mediterráneo y que pertenezca de lleno a la cultura árabe, heredera también de la cultura griega. Un colega argelino, al que pregunté si en la cultura árabe se valoraba la figura de Ulises, me contestó vehementemente: «Solo faltaba que los europeos os apropiarais también de Ulises».

La *Odisea* es un punto de unión, de convergencia de culturas, algo muy importante en estos difíciles momentos en los que se tiende a señalar tan solo las diferencias y los conflictos entre las dos orillas del Mediterráneo o entre Estados Unidos y el resto de América.

Esta obra es también un relato intercultural. Homero tiene la habilidad de incorporar en ella elementos como el tema de Penélope, que teje y desteje (perteneciente a la mitología hindú y descrito en los *Vedas*), y el mito de Polifemo, presente en la literatura oral bereber y escandinava, entre otras. Homero combina, integra, en este relato bellas historias populares procedentes de culturas muy diversas, hecho que quizás contribuya también a explicar su enorme éxito.

Los padecimientos de Ulises

En la figura 1 podemos seguir el viaje de un inmigrante que atraviesa el centro de África, cruzando el desierto del Sahara, hasta llegar a Argelia, viviendo situaciones de peligro, de riesgo para su integridad física (señalado con un recuadro en el mapa). Luego viaja por el norte de África hasta El Aaiún, en la costa atlántica, donde vive escondido durante meses hasta que logra pasar en una patera a Canarias en un viaje muy peligroso. Al llegar a la costa es detenido y, tras permanecer encarcelado durante algún tiempo en las islas, es finalmente trasladado a la península, donde se encuentra solo, sin familia, sin papeles y perseguido.

Si comparamos este viaje con el que hizo Ulises desde las costas de Turquía hasta las de Grecia (véase la figura 2), podemos deducir que no es una exageración hablar de odisea en el caso del inmigrante africano. Ulises viajó fundamentalmente alrededor de Sicilia y de la costa de Túnez, aunque hay que tener en cuenta que el mundo de entonces era mucho más pequeño que el actual. Incluso aunque Ulises hubiera estado recluido en la famosa isla de Perejil (Unamuno y otros autores señalan que la bella maga Calipso lo tuvo secuestrado durante años en la cueva central de este pequeño islote, situado en el estrecho de Gibraltar, el final del mundo conocido en la antigüedad), no exageramos al sostener que hoy también se viven odiseas comparables a las del héroe griego.

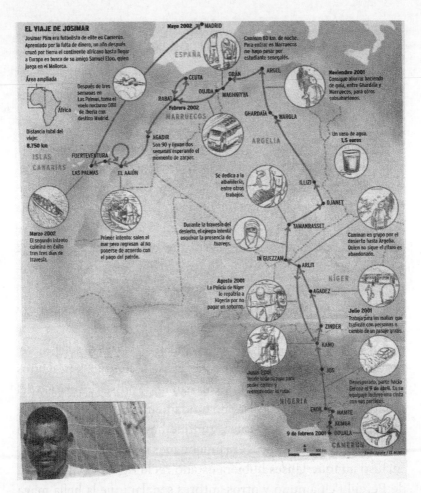

Figura 1. Viaje de un inmigrante que, desde Camerún, cruza el centro de África, a través del desierto del Sahara, hasta llegar a Argel. Después recorre el norte de África hasta El Aaiún, donde permanece escondido hasta que consigue viajar en patera a Canarias. Aquí es retenido durante meses y, finalmente, es trasladado a la península, donde vive sin papeles, sin familia y sin derechos.

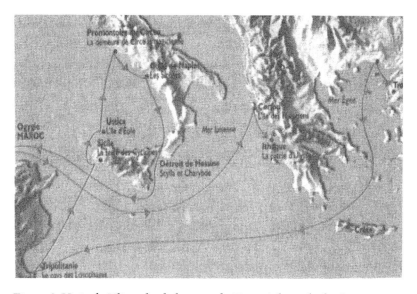

Figura 2. Viaje de Ulises desde la costa de Turquía hasta la de Grecia, comparable con el viaje del inmigrante de Camerún. No es exagerado afirmar que el recorrido que realiza este inmigrante también es una odisea.

La idea de denominar síndrome de Ulises al síndrome del inmigrante con estrés crónico y múltiple se me ocurrió en mayo de 2002, tras escuchar una y otra vez en nuestro centro de atención a inmigrantes en Barcelona, el SAPPIR, los relatos de adversidades, peligros y soledades a los que se hallaban sometidos los inmigrantes que habíamos comenzado a atender dos o tres años antes, cuando se cerraron las fronteras. En casi treinta años de atención a la salud mental de los inmigrantes, nunca había oído relatos tan terribles como los que empecé a escuchar a partir de entonces.

Desde aquella época, la idea de que los inmigrantes vivían auténticas odiseas en sus viajes migratorios ha aparecido muchas veces en los medios de comunicación, y expresiones como «odisea en el estrecho de Gibraltar» u «odisea en el desierto de Sonora» se han convertido en comunes en relación con los frecuentes dramas de los inmigrantes en sus viajes por todo el mundo.

Separación de la familia

Uno de los aspectos que mejor se hallan recogidos en la *Odisea* es el dolor de la familia del inmigrante en situación extrema. La familia de Ulises es una familia destrozada, rota, como tantas familias de inmigrantes en el mundo de hoy.

La *Odisea* relata cómo la esposa, Penélope, llorosa, habla así al divino aedo Femio: «Deja ese canto cruel, que sin cesar me desgarra el corazón; porque me ha hincado muy a fondo una pena inolvidable. Pues siento la añoranza de su rostro, recordándole siempre» (canto I, 340, página 53). Se trata de una ruptura familiar forzada, de una ruptura afectiva que incide directamente sobre el apego, un instinto de gran relevancia en la salud mental.

En las migraciones de hoy, con frecuencia es la mujer la que ha de marchar y vivir esas odiseas, mientras que el que se queda en el país de origen es el hombre. Así pues, ahora Ulises posiblemente sería una mujer.

Su hijo, Telémaco («el que combate lejos»), que apenas es un niño cuando Ulises se ve forzado a marchar, también queda profundamente afectado por la ruptura familiar (véase la figura 3). En la primera parte de la *Odisea* (cantos I-IV) se narra cómo, unos años después, el joven Telémaco, desesperado por no tener noticias de su padre, sale a buscarlo. Estaba «abrumado en su corazón, cavilando en su interior acerca de su noble padre» (canto I, página 45). Por suerte, el muchacho cuenta con la ayuda y la orientación de Mentor (de ahí el nombre de mentor como consejero), vinculado a la diosa Atenea. Como es bien conocido, el relato de Telémaco es la base de la historia de Marco, el niño italiano protagonista de la novela *De los Apeninos a los Andes*, una historia muy emotiva que ha cautivado a generaciones de lectores: el niño que recorre medio mundo en busca de su madre emigrante.

Ulises era el rey de Ítaca, una isla muy montañosa (mucho más pequeña que Ibiza), que se ve obligado por una serie de compromisos a participar en la guerra de Troya. Ulises vive feliz con su mujer y su hijo en ese idílico rincón del Adriático, en la zona oriental del Mediterráneo. Es decir, Ulises es lo que hoy denominaríamos un desplazado por una guerra, que se ve obligado a marchar lejos de su país de origen. Este es uno de los tantos tipos de circunstancias que dan lugar a migraciones: sequías, hambrunas, guerras, etcétera.

Para su familia, Ulises es alguien que un día marchó y ha desaparecido; nadie sabe nada de él. La *Odisea* recoge también el sufrimiento de sus padres, que ignoran la suerte que ha corrido su hijo, hasta tal punto que Anticlea, la madre del héroe, profundamente afectada, muere de pena. Así se lo da a conocer ella misma a su hijo cuando Ulises la encuentra en su viaje al infierno: «De igual modo también yo perecí y cumplí mi destino. Pues no me mató en el palacio la muy certera Flechadora asaeteándome con sus suaves flechas, ni me sobrevino ninguna enfermedad que me arrebatara del todo el ánimo en una odiosa consunción del cuerpo, sino que fue la añoranza de ti, de tus cuidados y tu amable carácter, famoso

Odiseo, lo que me quitó la dulce vida» (canto XI, 190-200, páginas 235-236). En este episodio vemos cómo al duelo de la migración y el exilio que padece Ulises se añade el duelo por la muerte de su madre. Esta superposición de duelos —añadir nuevos duelos al duelo migratorio— es un factor importante en el incremento del sufrimiento que padecen los inmigrantes y puede favorecer la aparición de trastornos mentales.

Figura 3. Penélope y Telémaco. En la *Odisea* están perfectamente descritas la tristeza, la rabia y la desolación por la separación forzada que siente una familia rota, similar a tantas familias de inmigrantes en el mundo actual.

Tal como hemos señalado en otros trabajos al hacer referencia a las características específicas del estrés y el duelo migratorio (Achotegui, 2017), también es muy relevante el duelo de los que se quedan, ya que, dado que la migración es un fenómeno social, afecta a todos, no solo a los que emigran. Las sociedades que ven marchar a sus hombres más activos y valiosos para la comunidad se empobrecen a todos los niveles. Esta realidad también se recoge en la *Odisea*, en el conflicto entre los pretendientes y Penélope, expresada en los abusos de estos hombres que se aprovechan de la ausencia de Ulises. No es difícil tampoco en este punto ver la semejanza entre la *Odisea* y lo que ocurre en los países de origen de los inmigrantes de nuestros días, en los que las dictaduras se perpetúan porque la gente joven y fuerte ha tenido que marchar.

Como expresión de la intensidad de este vínculo con los suyos, podemos ver, al comienzo de la *Odisea*, cómo Homero recoge el llanto de Ulises, que estaba secuestrado por Calipso e imploraba volver a casa. Calipso, para retenerlo, le ofrece la inmortalidad si se queda con ella, pero Ulises la rechaza: el vínculo con los suyos es superior a todo. La *Odisea* es un canto al apego, un instinto fundamental en los seres humanos.

El hecho de que la *Odisea* recoja que un héroe como Ulises llore con frecuencia es algo que de entrada llama la atención, ya que parece contradecirse con la imagen de la figura masculina tradicional que no llora, tan relevante en las culturas clásicas. Pero Ulises no llora por el dolor de sus heridas o por sus dificultades; Ulises llora por algo más noble, más elevado: por el amor a los suyos, por la fidelidad a sus gentes.

Ulises se encuentra bien con su familia, en su bella isla. No quiere ir a la guerra, y muestra su oposición mediante el procedimiento de hacerse el loco. Como señala Campbell en *El héroe de las mil caras* (1959), la mayoría de los relatos heroicos comienzan de esa manera, con los héroes que viven felices tratando de evitar las penalidades que se les vienen encima. Todo héroe atraviesa varias etapas en su esforzado destino. La primera de estas etapas es para Ulises la llamada a un cambio en su vida y su resistencia a dejar la vida plácida que llevaba con su familia en su pequeña isla del Mediterráneo. La *Odisea* se adapta bien a este perfil mitológico señalado por Campbell; es plenamente coherente con él.

Un último apunte en relación con los seres queridos: la *Odisea* recoge el emotivo reencuentro del héroe con su perro *Argos*, el único que reconoce a Ulises a su regreso a la isla, aunque vaya disfrazado de mendigo. En esta escena, de una gran belleza y emoción, el viejo perro, tras reconocer a su amo, al que ha esperado durante tantos años, muere.

Sentimiento de fracaso y miedo

Como señala Miralles, catedrático de literatura griega en la Universidad de Barcelona, Ulises era un superviviente. Es una figura casi darwiniana de alguien que sobrevive siempre, «le echen lo que le echen»: peligros, soledades o adversidades. Si Ulises hubiera regresado enseguida a Ítaca, no existiría la *Odisea*. Los demás combatientes de la guerra de Troya regresaron sin problemas y nadie ha hecho referencia a su viaje. Homero resalta que Ulises partió hace diez años y nadie sabe nada de él. Ulises vaga perdido, sin poder encontrar el camino de regreso.

He aquí otro aspecto fundamental de las vivencias de los inmigrantes en situación extrema y que la *Odisea* recoge magistralmente: «Allí durante dos noches y dos días en el denso oleaje marchó a la deriva [...], en la roca quedaron prendidos jirones de piel de sus manos fornidas [...]. Toda su piel estaba hinchada» (canto V, páginas 139-141). Hemos visto casos de inmigrantes que han llegado a estar cinco, diez y hasta quince días perdidos en el mar. Gente que se ha comido hasta las astillas de la barca para sobrevivir. Pero hay otras travesías también terribles: así, el desierto del Sahara se ha convertido en los últimos años en un gran cementerio de migrantes.

En las páginas 136-137 del canto V se muestran los peligros a los que está expuesto a causa del oleaje: «Una ola enorme, precipitándose terrible desde la altura, lo alcanzó de lleno y volteó como un torbellino la balsa. Lejos de la balsa cayó él, y el timón se escapó de sus manos. Por la mitad quebróle el mástil el terrible turbión de los vientos mezclados que llegaba, y lejos la vela y la entena cayeron en el mar [...]. Como cuando el Bóreas otoñal arrastra los cardos por la llanura, y se amontonan espesos unos con otros, así a lo largo del mar la arrastraba hacia acá y hacia allá».

Ulises se ha de enfrentar a Poseidón, el dios del mar que levanta tempestades y agita las aguas, y a Eolo, el dios del viento que desencadena huracanes.

De todos modos, el texto de la *Odisea* que recoge mejor el miedo y la indefensión que se experimentan en estas situaciones es el conocido episodio en el que Ulises —prisionero de Polifemo, el cíclope caníbal hijo de Poseidón y una ninfa—, para poder escapar, le dice: «Cíclope, ¿me preguntas mi ilustre nombre? Pues voy a decírtelo. Mi nombre es Nadie. Nadie me llaman siempre mi madre, mi padre y todos mis camaradas». Si para sobrevivir se ha de ser nadie, no puede haber identidad, ni autoestima, ni integración social, y así no puede haber salud mental. Para que haya salud mental ha de haber un ser humano reconocido, con un rol en su grupo.

Cuando se inicia la *Odisea*, Ulises se halla preso en la cueva de Calipso, y antes lo había estado en la cueva de Polifemo, como tantos inmigrantes que son detenidos, privados de libertad.

Ausencia de redes de apoyo social

Ulises padeció enormes peligros y adversidades como consecuencia de la ira del dios Poseidón, protector de Polifemo, y de Eolo, dios de los vientos. Sin embargo, el héroe griego contó también con el apoyo incondicional de Atenea, la diosa del conocimiento. Este apoyo resultó fundamental para poder superar numerosas situaciones extremas.

Los Ulises de hoy tienen frente a sí a incontables Polifemos, pero ¿dónde está Atenea, la bella diosa de la razón, y su lechuza, símbolo de la sabiduría, que protegían y ayudaban al héroe griego? Existen grandes déficits en las redes de apoyo social a los inmigrantes. Por desgracia, a diferencia de Ulises, los inmigrantes de hoy tienen pocas Ateneas que les protejan, pero van muy sobrados de Polifemos y Neptunos. Atenea llega a decir: «A mí se me desgarra el corazón por el valeroso Odiseo, el desventurado» (canto I, 40, página 43).

Con relación a estos factores protectores, hay que señalar que Ulises es bien acogido en situaciones como la que Homero describe en el famoso banquete con los feacios (canto VIII), en el que es tratado con todos los honores. También el inmigrante, a pesar de padecer situaciones extremas, vive a veces buenos momentos, conoce hermosos lugares y a gente fascinante, y se enriquece humanamente en la migración, como muestran los versos de Kavafis que más adelante comentaremos.

Tristeza y llanto

Muchos textos de la *Odisea* nos recuerdan los padecimientos de los inmigrantes que llegan hoy a nuestras fronteras, especialmente la tristeza y el llanto: «Nunca estaban sus ojos secos de lágrimas, y consumía su dulce vida añorando su regreso [...], sentado en las rocas de la costa, desgarrando su ánimo con llantos, gemidos y pesares, escrutaba el mar estéril derramando lágrimas» (canto V, 150, páginas 130-131). En el canto IX, Homero relata que Ulises se encuentra con el corazón angustiado o afligido, y en el canto VII le califica varias veces de «sufrido».

Así pues, en la *Odisea* son frecuentes las referencias a la tristeza, la aflicción y el sufrimiento, sobre todo en el canto XI. Este dolor se expresa con gran fuerza en el relato del descenso de Ulises a los infiernos, al reino de los muertos, donde recibirá la terrible noticia de la muerte de su madre, Anticlea, fallecida de dolor durante su ausencia. Muchos inmigrantes también viven actualmente esa situación con respecto a los seres queridos, sin poder estar con ellos en esa última etapa de la vida.

El llanto no es infrecuente en la migración en situaciones extremas. Así, la migración —en realidad, destierro— de las tribus choctaw y cherokee desde las praderas de Georgia hasta Oklahoma, entre 1831 y 1838, ha pasado a la historia como lo que los nativoamericanos denominaron «Nunna daul Isunyi», que traducido sería «el sendero de las lágrimas» (tryal of tears).

«Nunca estaban sus ojos secos de lágrimas, y consumía su dulce vida añorando su regreso [...], sentado en las rocas de la costa, desgarrando su ánimo con llantos, gemidos y pesares, escrutaba el mar estéril derramando lágrimas» (*Odisea*, canto V, 150, páginas 130-131).

Confusión y fatiga

El tema de la confusión, al que se hace referencia en el apartado de sintomatología del síndrome de Ulises, se halla magníficamente recogido en la *Odisea* en el episodio del loto: «Les dieron a comer el loto. Y cualquiera de ellos que comía el sabroso fruto del loto, ya no quería traernos noticias ni navegar de nuevo» (canto IX, 90, página 192). Hemos visto muchas veces cómo el inmigrante, ante situaciones difíciles, tiende a recurrir al alcohol, al uso de sustancias. Quizás prefiere olvidar, o no pensar en tantas penalidades, y todo ello favorece la confusión.

También la fatiga está presente en la *Odisea* mostrando el enorme esfuerzo que el héroe ha de realizar para sobrevivir; por ejemplo, en el episodio en el que, tras naufragar, llega completamente exhausto a una playa de la isla de los feacios, donde cae rendido, sin fuerzas. Eso sí, en un último esfuerzo, según relata Homero, aún es capaz de buscar un lugar seguro para poder descansar. La metis, la inteligencia de Ulises, es para el bardo griego, junto a la fidelidad a los suyos, la mayor cualidad del héroe.

Interpretación cultural de los sufrimientos

En la *Odisea* son frecuentes los episodios de magia, los cambios de identidad a través de sortilegios, como el episodio en el que la maga Circe convierte a los hombres en cerdos. El relato homérico comienza cuando Ulises se halla retenido por la maga Calipso, que se vale de sus poderes para impedirle marchar. El mundo mágico tiene una gran importancia en muchas de las culturas de los inmigrantes y en nuestras propias tradiciones.

LAS CAPACIDADES DE ULISES,
EL HÉROE RESILIENTE

La personalidad de Ulises ha sido siempre un referente de inteligencia, capacidad de adaptación, habilidades sociales y valentía, y no resulta difícil relacionar estos aspectos con el concepto de fuerza y con el de resiliencia, como capacidad para salir adelante en las adversidades. Este concepto, que proviene de Bowlby (1980) y que fue desarrollado por Werner (1982), ha hecho fortuna en el área de la psicología y la psicopatología. Anaut (2003) define la resiliencia como «la capacidad de salir vencedor y con una energía renovada de una prueba que podría haber sido traumática», y Cyrulnik (1999) como «la capacidad de conseguir vivir y desarrollarse positivamente, de manera socialmente aceptable a pesar del estrés o la adversidad que comporta».

Una cualidad muy destacada de Ulises es la inteligencia. Ya al comienzo de la *Odisea* se le describe como «hombre de múltiples tretas», capaz de utilizar más la astucia que la fuerza bruta. Es el metis griego, mezcla de inteligencia y astucia. El episodio más conocido en el que muestra esa inteligencia es el del caballo de Troya, con el que logra entrar en la ciudad sitiada y conquistarla tras diez años de sitio fallido.

Pero Ulises posee también una gran capacidad de adaptación a todo tipo de circunstancias. Es muy diestro en el trabajo manual, y en la *Odisea* aparece como un hábil carpintero capaz de construir, con sus propias manos, la balsa con la que parte de la isla en la que le retenía la maga Calipso (canto V, 240-260, páginas 133-134).

En otros textos de la *Odisea* se le describe como extremadamente hábil en las relaciones humanas y sociales, capaz de decir que no sin desairar, especialmente en los episodios en los que es solicitado como esposo por Calipso (canto V, 210-220, página 133) o por Nausícaa (canto VIII, 450-460, página 184), a las que, tras llenarlas de galanterías y cantar gentilmente su extraordinaria belleza y elegancia de diosas, les dice muy finamente que no, que le esperan Penélope y Telémaco, su mujer y su hijo, además de las gentes de Ítaca.

Son también sobradamente conocidas la fuerza y la destreza de Ulises, expresadas en el famoso episodio de la utilización del arco en la prueba de los contendientes o en los juegos que organiza Alcínoo, rey de los feacios, en los que Ulises vence a todos sus rivales (canto VIII, 170-190, páginas 174-175).

Otro aspecto a destacar es la nobleza, que recuerda a la del héroe troyano Héctor. También se ha resaltado su valentía, como cuando se atreve a ir al infierno para buscar información sobre cómo regresar a Ítaca. Sin embargo, Dante, en la *Divina Comedia*, interpreta negativamente ese atrevimiento y pone a Ulises en el infierno por su osadía.

Ulises se enfrenta a los dioses, quiere ser dueño de su destino, es humano, como cuando se resiste a ir a la guerra de Troya o antepone a todo la vinculación con los suyos.

Pero no todo son maravillas con relación a Ulises. En la *Odisea* hay episodios en los que se comporta como un fiero guerrero; por ejemplo, cuando al abandonar Troya se detiene en Tracia, la tierra de los cícones, aliados de los troyanos, y saquea la ciudad (canto IX).

ECOS DE LA *ODISEA*. OTRAS VISIONES

El mito de Ulises es muy amplio y rico en matices. La *Odisea* no puede encerrarse en un marco estrecho, sino que permite muchos desarrollos y lecturas. Ulises es un personaje poliédrico. No es posible abarcar un mito tan universal como el suyo en una única imagen. Esa es la grandeza del mito. En palabras de García Gual (2006), está más allá del logos.

El planteamiento del síndrome de Ulises se basa en un aspecto central del mito: el viaje de Ulises, porque la *Odisea* es ante todo «el viaje» (aunque no es el único aspecto del mito). Si Ulises hubiera regresado en apenas una semana, que es lo que se tarda en llegar en un velero desde la costa de Turquía, donde estaba Troya, hasta Ítaca, en las costas de Grecia, no habría habido *Odisea*. La *Odisea* no es precisamente un plácido paseo en barca, sino un viaje lleno de peligros, adversidades y soledad. Al denominar síndrome de Ulises al síndrome del inmigrante con estrés crónico y múltiple, no pretendemos abarcar todos los elementos del mito, sino señalar que uno de sus aspectos más relevantes, el esencial aunque no el único, es que Ulises fue un desplazado, alguien que vivió situaciones extremas. Por ello, no propongo utilizar el nombre de Ulises como metáfora, sino como ejemplo, ya que los inmigrantes de hoy viven auténticas odiseas. El ejemplo describe una situación igual, mientras que la metáfora describe una situación parecida.

De cualquier modo, la utilización del nombre del héroe griego ha dado lugar a un debate, en el que algunas personas manifiestan que Ulises era en realidad una mezcla de *playboy* y aventurero, que si tardó más de diez años en regresar a su casa, en Ítaca, fue porque quería mantenerse alejado de Penélope. Esta visión de Ulises, como una especie de don Juan Tenorio, es completamente ajena al relato homérico, que tiene en todo momento un tono dramático e incluso épico.

Esta versión *light* de la *Odisea* se basa en parte en los poemas de Kavafis sobre Ulises, aunque devaluándolos y distorsionándolos. Kavafis idealiza en su obra Grecia y su cultura, y recrea un Ulises romántico, viajero. La curiosidad por lo que el héroe está viendo en su largo viaje no es incompatible con el drama y la épica. Como señala García Gual: «Homero no describe a Ulises como un viajero impenitente, él tan solo quería estar con los suyos. Ulises no quería aventuras, ni siquiera la inmortalidad que le ofrece la maga Calipso». Pero los mitos trascienden su texto inicial, indica este autor. Y añade que en el marco del romanticismo surge la versión aventurera de Ulises, que, expresada en los bellísimos versos de Kavafis, ha derivado, en algunos casos, en una versión frívola de la *Odisea*.

Para García Gual, la *Odisea* es la epopeya de la hospitalidad, de los vínculos, no de la frivolidad. Podríamos decir que Ulises es un icono del apego. Desde una perspectiva psicológica, los planteamientos frivolizadores suponen una clara negación del duelo migratorio. Es más, esta versión ni siquiera es compatible con el lenguaje popular o con el lenguaje de los medios de comunicación, en los que el término «odisea» no hace referencia a juerga, sino a peligro, a dificultad extrema.

Volviendo a Kavafis, su planteamiento se entiende mejor si nos acercamos a su biografía. Konstantin Kavafis era un aristócrata de origen griego que vivió en Alejandría. Su padre poseía la empresa Kavafis, una de las firmas textiles más importantes de la época. Se formó en Cambridge, tal como correspondía a una persona de su posición económica. Kavafis era un hombre culto que, como tantas personas alejadas de su tierra, recrea sus propias fantasías.

De todos modos, aunque insistimos en resaltar los aspectos dramáticos de la *Odisea*, esto no obsta para que también podamos ver con humor, al menos por un momento, las aventuras de Ulises, y así recogeríamos un viejo chiste judío que dice: «Guerra de Troya, sirenas, cíclopes... Lo que han de inventar los hombres para explicar a sus mujeres que llegan tarde a casa» (Rudy y Eliahu Toker, 2003).

Literariamente, tenemos también la versión intimista de Joyce, irlandés autoexiliado en Trieste, a orillas del mar Adriático, que baña las costas de Ítaca. En su caso, el viaje que describe en la monumental obra *Ulysses* es interior.

La figura de Ulises ha sido también muy valorada en la tradición cristiana. Los Padres de la Iglesia —como san Basilio, san Ignacio de Antioquía y san Policarpo de Esmirna— consideraban que Ulises era, para los pueblos que no conocieron la Biblia, un precursor de la figura de Cristo, alguien que con su ejemplo preparó la llegada del Mesías a la Tierra.

Una obra literaria admite siempre numerosas interpretaciones, sobre todo cuando nos ubicamos en el terreno del mito, que está más allá del logos.

Homero, un gran psicólogo del alma humana

Las descripciones psicológicas del bardo griego son extraordinarias y nos recuerdan a las de Cervantes y Shakespeare.

Homero recrea en la *Odisea* el espíritu de Gilgamesh. Se ha señalado que el inicio de la *Odisea* es muy parecido al del poema babilónico escrito más de 2000 años antes de Cristo (al menos 1000 años antes que la *Odisea*), ya que se hace referencia a alguien que ha hecho un gran viaje, pero no se menciona el nombre del protagonista. Así, en la tablilla 1, columna 1, de la versión asiria del poema, se dice: «Quiero dar a conocer a mi país a aquel que todo lo ha visto, a aquel que ha conocido lo profundo, que ha subido a todas las cosas, que ha examinado en su totalidad todos los misterios. A él, dotado de sabiduría, que lo ha conocido todo, que ha descubierto los secretos, que ha visto los misterios [...]. Vuelto de un largo viaje, fatigado, pero sereno». La *Odisea*, por su parte, comienza con estos versos: «Háblame, Musa, del hombre de múltiples tretas que por muy largo tiempo anduvo errante, tras haber arrasado la sagrada ciudadela de Troya, y vio las ciudades y conoció el modo de pensar de numerosas gentes. Muchas penas padeció en alta mar él en su ánimo, defendiendo la vida y el regreso de sus compañeros».

La *Odisea* inspirará las aventuras de Simbad en *Las mil y una noches*. Ya hemos mencionado a Esquilo, a Eurípides, a Sófocles, a Kavafis y a Joyce. También cabe destacar a Jean Valjean, el protagonista de *Los miserables*, de Victor Hugo. La lista es interminable. La *Odisea* ha sido recogida innumerables veces en la literatura. La figura de Ulises se ha comparado con la de Miguel Strogoff, el personaje de Julio Verne que realiza un penoso viaje como correo del zar. Es una figura basada en la lealtad, en la resistencia, que Verne define así: «No es la historia de sus triunfos, sino la de su lucha contra las adversidades la que merece ser contada». Se ha comparado también a Ulises con el Robinson Crusoe de Daniel Defoe, que estuvo 27 años y dos meses en una isla desierta enfrentándose en soledad a todo tipo de dificultades.

También conocemos la influencia de la *Odisea* en la cultura hindú, tal como se expresa en el *Mahabharata*, cuyo protagonista, Arjuna, posee un gran parecido con la figura de Ulises. En el arte de Gandhara hay esculturas que muestran las hazañas de Ulises y el caballo de Troya. Se cree que la *Odisea* fue conocida en la cultura hindú, fundamentalmente, a través de Alejandro Magno.

El retorno al humanismo griego

Ulises se enfrenta a los dioses, a su destino; es humano. Muchos más episodios podrían relacionarse con los valores de Ulises, como el famoso relato de las sirenas, que muestra el valor del compromiso y la habilidad para no dejarse seducir por falsos reclamos y seguir la ruta que se había trazado, que era estar con los suyos y de la que había sido apartado contra su voluntad.

Ya he señalado que el nombre de Ulises para el síndrome proviene de un intento de aproximación al modelo del humanismo griego, de situar lo humano como medida de las cosas.

Consideraciones finales
sobre la *Odisea* y el síndrome de Ulises

Este texto de Homero, que siempre ha sido muy valorado, quizás cautiva más ahora porque en la posmodernidad ya no hay grandes relatos.

Por supuesto, mis consideraciones no son las de un helenista ni las de un especialista en la *Odisea*. Soy simplemente un médico, un psiquiatra que ha leído con detenimiento el texto de Homero, ha escuchado durante muchas horas a unos inmigrantes que han vivido situaciones muy difíciles, e intenta comprenderlos y reflexionar sobre ello.

Ya he señalado que Ulises no es una metáfora de la migración; es un ejemplo. Fue un desplazado por una guerra a la que se opuso y padeció innumerables adversidades lejos de sus seres queridos. En el mundo actual Ulises sería quizás una mujer, también desplazada por un conflicto bélico, por la globalización o por el cambio climático.

A veces me he preguntado dónde estaría hoy la Ítaca de Ulises en un mundo víctima de una globalización deshumanizada, del cambio climático. Quizás Ulises habría tenido que marchar lejos de su isla en busca de un nuevo hogar para su familia y sería uno de esos inmigrantes que llegan exhaustos a nuestras costas.

Pero ahora no es un solo hombre, como Ulises, sino miles, cientos de miles quienes viven en soledad peligros y adversidades similares. Están naufragando en las mismas playas que describe Homero, en Malta, en Lampedusa, en las costas de Sicilia. Malos tiempos aquellos en los que las personas corrientes han de comportarse como héroes para sobrevivir. Ulises era un semidiós que, sin embargo, sobrevivió a duras penas a las terribles adversidades a las que se vio sometido, pero las gentes que llegan hoy a nuestras fronteras tan solo son personas de carne y hueso que viven episodios tanto o más dramáticos que los descritos en la *Odisea*. Estamos viviendo situaciones que creíamos que pertenecían al mundo de la leyenda o de los relatos míticos.

Nadie puede asegurarnos que algún día no nos pueda pasar algo así a cualquiera de nosotros. Hace apenas cincuenta años nuestros abuelos emigraban a Argentina, «el granero del mundo». Hoy son los argentinos quienes han de partir. No hay seguridades absolutas. Quizás por eso la figura de Ulises ha sido siempre un modelo, un referente de lucha y superación, y continúa fascinándonos oír su historia una y otra vez.

Al final de la *Odisea*, Ulises regresa con su familia. Tras vivir tantas penalidades y sufrimientos, la historia del héroe griego termina bien. Esperemos asimismo que termine bien el drama que actualmente están viviendo millones de seres humanos. Un día no fueron sino sueños muchas de las realidades de nuestro mundo de hoy, como la abolición de la esclavitud o los derechos de la mujer. Estamos seguros de que algún día conseguiremos que la humanidad vuelva a ser dueña de su destino y veamos el fin de este gran drama del siglo XXI.

Tercera parte

Un cuadro reactivo de estrés que se ubica en el área de la salud mental

Que Dios nuestro Señor no se digne enviarnos todos los males que somos capaces de aguantar.

Dicho popular español

Había seguido también estudios de psicopatología. Una pretendida disciplina que no enseñaba gran cosa. Entonces se me planteó la pregunta: ¿cómo un saber tan escaso puede arrastrar tanto poder?

Michel Foucault

Influencia de la vulnerabilidad y los estresores en la salud mental

Vamos a abordar en este apartado las correlaciones entre los estresores y la vulnerabilidad en la migración respecto a la salud mental y la psicopatología.

Estresores y vulnerabilidad en el síndrome de Ulises

Ante los estresores extremos que hemos denominado estresores Ulises, la respuesta del sujeto depende fundamentalmente de su grado de vulnerabilidad ante la elaboración del duelo migratorio, tal como vemos en el esquema 2.

Esquema 2. Relación entre los estresores Ulises y el pronóstico en salud mental según la vulnerabilidad del inmigrante

Estresores Ulises (soledad, miedo indefensión)		
Inmigrantes con trastorno mental y predisposición	Inmigrantes sin trastorno mental pero con predisposición	Inmigrantes sin trastorno mental ni predisposición

Analicemos este esquema desde la perspectiva de las relaciones entre estresores y vulnerabilidad:

- ¿Qué ocurre cuando emigra alguien que ya padece un trastorno mental, es decir, un sujeto que tiene una gran vulnerabilidad ante la elaboración del duelo migratorio? (a la izquierda). Al hallarse en una situación tan extrema, tenderá a ponerse peor. Pensemos en un esquizofrénico sin papeles, viviendo sin apoyo familiar, sin recursos, asustado y acosado. Obviamente, se pondrá peor. Suele decirse que «solo le falta al paranoico que le persigan». Como prueba de ello tenemos el dato de que fue un inmigrante marroquí sin papeles y con estresores extremos, que se encontraba en un estado psicótico descompensado, el que desencadenó en 2001 los episodios de racismo en El Ejido tras apuñalar mortalmente a una joven del pueblo.

- ¿Qué ocurre cuando emigra alguien sin un trastorno mental manifiesto, pero con predisposición a padecerlo? (en el centro). Pues que existe un gran riesgo de que acabe apareciendo el trastorno mental. Por ejemplo, si alguien tiene predisposición a padecer una úlcera de estómago y come muy mal día tras día, tiene muchas posibilidades de que acabe desarrollándola.

- El síndrome de Ulises es la respuesta de sujetos sanos y sin predisposición al trastorno mental a estas situaciones extremas (a la derecha). Esta respuesta no es una enfermedad mental, sino un cuadro reactivo de estrés; es decir, los estresores les afectan, pero no hasta el punto de provocarles un trastorno mental, ya que se trata de personas sanas y fuertes, sin vulnerabilidad. Los estudios sobre migración y salud mental muestran que los inmigrantes constituyen, en general, una selección natural de la gente joven y mejor capacitada de sus grupos de origen. Es obvio: no se mete cualquiera en una patera, ni la familia invierte sus ahorros para pagar el pasaje a cualquiera. Se elige a los mejores.

Desde la perspectiva de la relación entre los estresores Ulises y los síntomas Ulises, hay que tener en cuenta que algunos inmigrantes tienen los estresores Ulises, pero no el síndrome: desarrollan una psicosis, una depresión o un trastorno adaptativo.

No obstante, se ha de señalar que la mayoría de los inmigrantes, en un momento difícil de la elaboración del duelo migratorio, pueden tener algún aspecto parcial del cuadro, pero en un nivel menor, de modo que no se puede considerar que padecen el síndrome de Ulises.

Seligman (2002), el autor del concepto de indefensión aprendida, afirma que, en los experimentos en los que se somete a ratones a innumerables dificultades y problemas, uno de cada tres roedores jamás se da por vencido y uno de cada ocho se da por vencido ya desde el inicio de los experimentos. Seligman muestra cómo no siempre la respuesta a la frustración permanente es la enfermedad. En esta línea se halla la idea de que el síndrome de Ulises es una crisis de estrés, una reacción de estrés. Los estresores no bastan para definir, ellos solos, la naturaleza del cuadro, sea de reacción de estrés o de enfermedad. Con los mismos estresores puede haber diferentes tipos de cuadros dependiendo de la vulnerabilidad del sujeto. Hay inmigrantes con papeles y trabajo, es decir, sin estresores Ulises, que por su vulnerabilidad pueden padecer una enfermedad mental.

Tener en cuenta el estrés presenta la ventaja de clasificar según la etiología, que es la clasificación de mayor calidad. Como señalan

Phillips *et al.* (2004), en las clasificaciones en vigor tan solo son recogidas como causantes de alteraciones psicológicas algunas situaciones de estrés, pero no todas. Los estresores recogidos actualmente son:

1. Los estresores vinculados a la violencia explícita, recogidos en el diagnóstico de trastorno por estrés postraumático.
2. Las situaciones de estrés puntuales muy intensas, recogidas en el diagnóstico de trastorno por estrés agudo.

Sin embargo, existen otras muchas situaciones de estrés crónico y muy intenso o situaciones de violencia soterrada, larvada o no explícita, que no están recogidas en estas dos categorías del DSM, a pesar de que dan lugar a una amplia sintomatología psicológica. Phillips señala que estuvo a punto de introducir en el DSM-V la categoría «Estrés extremo no específico».

De todos modos, consideramos que en este campo del trastorno mental al que hace referencia Phillips no se incluiría el síndrome de Ulises, ya que en este cuadro la respuesta del sujeto no es la desestructuración que supone padecer un trastorno mental. Más bien al contrario, deberíamos plantearnos si al menos una parte de los cuadros que Phillips ubica en el área de los trastornos mentales no pertenecen más bien al área de los cuadros reactivos de estrés como el síndrome de Ulises; por lo tanto, al área de los problemas de salud mental, más que propiamente al área de la patología psiquiátrica, ya que con frecuencia son respuestas con síntomas psicológicos a situaciones extremas, y no enfermedades. En todo caso, estos cuadros se encontrarían en el límite entre ambas áreas.

Los inmigrantes resilientes

Los inmigrantes que resisten los enormes estresores que he descrito (soledad, exclusión, miedo, indefensión) son personas que poseen una gran resiliencia.

El concepto de resiliencia ha sido desarrollado magníficamente por Boris Cyrulnik, destacado psiquiatra francés que vivió en sus propias carnes la persecución nazi, de la que consiguió escapar casi milagrosamente.

Para Cyrulnik (1999), la resiliencia es «la capacidad de conseguir vivir y desarrollarse positivamente, de manera socialmente aceptable a pesar del estrés o la adversidad que comporta».

La perspectiva biopsicosocial

Tener en cuenta los estresores de tipo social, las situaciones de estrés crónico (tal como se está haciendo con otros cuadros, como el burnout o el mobbing), es muy positivo porque el estrés es una de las problemáticas básicas en salud mental, aunque apenas se tiene en cuenta.

En los discursos oficiales de la psiquiatría, es casi un lugar común referirse a los planteamientos biopsicosociales, pero, a la hora de la verdad, lo social sigue siendo la cenicienta de la psiquiatría oficial, que se refiere a lo biopsicosocial como recurso retórico más que como una realidad. Se proclama siempre, pero ¿cuándo se tocan los temas psicosociales? ¿Por qué apenas salen en el temario? Queda bonito mencionarlos en el discurso académico, pero ahí acaba todo.

En la práctica, se buscan casi exclusivamente marcadores biológicos (aunque a día de hoy no se ha hallado ninguno específico de un trastorno mental), y no se quieren ver los marcadores sociales, que están al alcance de todos y son detectables con las metodologías actuales.

Los Social Bound Syndromes

Así como el DSM-IV-TR hacía referencia a los Cultural Bound Syndromes, consideramos que el síndrome de Ulises es un Social Bound Syndrome (Achotegui, 2007) porque está ligado de manera inexorable a aspectos sociales específicos, a estresores bien delimitados. Sin embargo, lamentablemente, como ya hemos señalado, los aspectos sociales apenas son tenidos en cuenta en la psicopatología oficial.

Hoy África no comienza en Tánger o en Trípoli, ni en las costas del sur del Mediterráneo. África ya ni siquiera comienza en los Pirineos. África comienza hoy en Estocolmo o en Montreal. La globalización nos ha traído realidades que hace unos años tenían lugar muy lejos de nosotros. Y cuando África quedaba tan lejos, esa distancia nos protegía, nos evitaba contactar con esa realidad.

Con la presencia en nuestras calles y plazas de los sin papeles, los dramas, las flagrantes injusticias y desigualdades de África, Asia y los países de rentas bajas están ahora entre nosotros. El conflicto ético que provocan estas situaciones se ha trasladado al corazón de Occidente.

Este drama no ocurre en lejanas sabanas y remotas selvas. Pero estas desgracias no son ninguna plaga bíblica, no vienen motivadas por catástrofes naturales o fuerzas incontrolables. Estas desgracias las produce el acoso, la persecución y el aislamiento a los que se somete en nuestra sociedad a estas personas: un mobbing, en definitiva.

El síndrome de Ulises presenta similitudes con el mobbing inmobiliario u otras formas de mobbing que tanto nos horrorizan, como cuando nos explican que una pérfida inmobiliaria sin escrúpulos trata de echar de su piso a una viejecita. En este caso, la agresión va mucho más allá: aquí, además, estas políticas rompen familias y privan de libertad a muchas personas. Frente al denominado «efecto llamada», nuestro sistema responde intentando que estas personas caigan en el desistimiento y se vayan. El efecto llamada da lugar al «efecto patada», tratando de que se marchen cuanto antes; se trata de quebrar su resistencia con medidas disciplinarias en la línea de lo señalado por Foucault en *Vigilar y castigar*.

Las leyes de las sociedades occidentales tratan de quebrar y destruir sistemáticamente la resistencia de los inmigrantes: minan su vida familiar y afectiva, su sentimiento de seguridad; les niegan cualquier futuro.

ASPECTOS EPISTEMOLÓGICOS
DEL DIAGNÓSTICO EN SALUD MENTAL

Tal como he señalado anteriormente, existe una relación directa e inequívoca entre los estresores límite que viven los inmigrantes y la sintomatología del síndrome de Ulises. Además, el diagnóstico por causas, etiológico (mucho más relevante en la medicina, por ejemplo), es de mayor calidad que el diagnóstico por síntomas, ya que, en general, los síntomas son inespecíficos y comunes a numerosas alteraciones tanto del campo de la salud mental como de la psicopatología.

Aplicación de la navaja de Occam

Al aplicar el concepto de la navaja de Occam —que plantea que «cuando se ha de elegir entre varias hipótesis es mejor escoger la más simple, porque está basada en lo que se conoce mejor»—, solo estamos obligados a creer en cosas que ya conocemos. Así, con relación a los estresores extremos y los síntomas descritos en los apartados anteriores, la hipótesis del síndrome de Ulises es la explicación más sencilla.

Para explicar las causas que dan lugar a los síntomas, recurre al análisis de los estresores extremos que padecen los inmigrantes, que son datos sociales perfectamente comprobables. Por el contrario, en el campo de la psiquiatría y la salud mental se tiende a recurrir a hipótesis biológicas no demostradas, pertenecientes más al campo de la especulación biológica que al de la ciencia (a pesar de la imagen distorsionada que sobre este tema transmiten los medios de comunicación). Además, como señala muy adecuadamente Ángel Martínez (2005) mostrando la debilidad del paradigma biologista, no puede estudiarse el cerebro y sus neurotransmisores de modo aislado, sino que se ha de partir de la base de que forman parte de una red de personas que viven y funcionan de modo grupal. El cerebro aislado es un ente inexistente, un constructo generado por la ideología de la tecnociencia desde planteamientos epistemológicos errados.

Desde la perspectiva epistemológica, lo biológico, lo psicológico y lo social constituyen una unidad, y, aunque puede resultar de interés diferenciarlos al realizar un análisis conceptual en la pizarra de la facultad, no debemos luego reificar esas instancias porque la realidad es una.

Los prejuicios en el diagnóstico

Existe una tendencia a la discriminación de ciertos grupos sociales por parte de los sectores que detentan el poder, que son además, como señala Foucault, quienes delimitan qué es sano o insano desde la perspectiva del modelo social dominante. Los inmigrantes son uno de esos grupos discriminados. Por eso, se tiende a tener una visión prejuiciada y desvalorizadora de su sintomatología desde ciertos planteamientos de la psiquiatría, que carecen de sensibilidad ante estas realidades sociales y siguen acríticamente el modelo social dominante.

Con el reconocimiento de los problemas psicológicos de los inmigrantes ocurre algo muy parecido a lo que sucede con los padecimientos de la mujer o de las minorías, grupos que están lejos de ser dominantes en nuestra sociedad. En las cuestiones de género, existe una clara discriminación hacia la mujer desvalorizando cuadros como la fibromialgia o la fatiga crónica. Lo mismo pasa con la cefalea, pariente pobre de la neurología y la psiquiatría, y también síntoma predominantemente femenino. Existen innumerables ejemplos de esta discriminación, como que haya píldora femenina y no masculina, o que históricamente todos los procesos de brujería se desarrollaran contra mujeres y no contra hombres.

El inmigrante sufre prejuicios de tipo étnico: se minusvaloran las dificultades psicológicas de los grupos colonizados y las minorías. Como escribió el psiquiatra antillano Frantz Fanon (1970): «Un negro no es un hombre. Un negro es un hombre negro». Para el blanco, según Fanon, siempre lleva un adjetivo.

LA PERSPECTIVA DE FOUCAULT: LOS SIN PAPELES COMO NUEVO COLECTIVO A DISCIPLINAR

Como señaló Foucault en el curso que impartió en el Collège de France en 1973-1974, el diagnóstico psiquiátrico no es algo objetivo, neutro, sino que se halla vinculado a las estructuras de poder. Forma parte de lo que denominó «la biopolítica» y tiene numerosos elementos de tipo ideológico. La biopolítica es el intento por parte del poder —fundamentalmente desde el siglo XVIII— de controlar la salud, la higiene, la alimentación, la sexualidad y la natalidad, dado que constituyen temas políticos. El diagnóstico psiquiátrico es para Foucault una construcción social.

Foucault (1966) introduce el concepto de «episteme», que sería la estructura de pensamiento propia de cada época histórica. La psiquiatría no es una ciencia exacta, sino que se halla condicionada por la ideología, por la episteme del momento histórico. Por eso hay antipsiquiatría (pero no hay antiotorrinolaringología, por ejemplo).

En realidad, ni siquiera tenemos aún una definición de lo que es salud mental o trastorno mental, porque depende del contexto social y cultural. Hace veinte años, la homosexualidad era considerada una enfermedad mental. Hoy no lo es. Pero lo sorprendente es que no ha habido ni un solo dato científico que avale este cambio, ni por supuesto lo había antes para considerarla enfermedad mental. De hecho, seguimos sin tener ninguna tesis concluyente que explique la homosexualidad. Desde la perspectiva evolucionista, es una expresión de la biodiversidad: en toda la escala evolutiva, más de 1500 especies desarrollan conductas de tipo homosexual. La clasificación diagnóstica ha cambiado porque se ha producido un cambio cultural, de mentalidad, en nuestras sociedades. Pero, además de estos aspectos de tipo ideológico, las circunstancias en las que se decidió que la homosexualidad ya no era una enfermedad mental están recogidas en todos los manuales de epistemología como muestra de la influencia de los factores sociales sobre la ciencia: se ha sostenido que uno de los factores decisivos del cambio de opinión fue que los colectivos gays cercaron la convención de clasificación del DSM de Chicago y, cuando los congresistas se cansaron de estar encerrados, acabaron sacando la homosexualidad de la patología psiquiátrica.

Los planteamientos de Foucault han sido muy fecundos, ya que han planteado que el trabajo del psiquiatra, del psicólogo, no es normalizar al sujeto, hacer que vuelva al sistema (que hoy sería la sociedad de consumo), sino conseguir su liberación, porque, como escribía Ey (1966), la enfermedad mental es ante todo una pérdida de libertad. Chaplin refleja muy bien esta situación en algunas de sus películas, como *Tiempos modernos*, donde se ve al hombre contemporáneo atado a una cadena de producción y consumo. El trabajo del profesional de la salud mental no puede ser el de velar por la adecuación de los ciudadanos al sistema vigente, estando prestos a intervenir cuando alguien se desvía de la norma, y decae en su productividad y nivel de consumo. Incluso Foucault ubicaría la psiquiatría dentro de los dispositivos disciplinarios que buscan que «los descarriados», como los presos, vuelvan al redil del modelo social dominante.

Analizando las relaciones entre la psiquiatría y el poder a raíz de su actividad asistencial en el Hospital Sainte-Anne de París,

Foucault escribió: «Había seguido también estudios de psicopatología. Una pretendida disciplina que no enseñaba gran cosa. Entonces se me planteó la pregunta: ¿cómo un saber tan escaso puede arrastrar tanto poder?». Creo que estas frases suponen uno de los cuestionamientos más radicales que se hayan hecho jamás a la psiquiatría oficial.

En la línea de cuestionar el modelo psiquiátrico dominante y su saber, Rosenhan realizó en la década de 1970 un famoso experimento en Estados Unidos, en el que diez personas adiestradas por él se presentaron en diferentes manicomios diciendo que oían una voz. A todos los ingresaron, pero solo los pacientes, los «locos», se dieron cuenta del engaño y les preguntaban: «¿Vosotros qué sois: profesores, periodistas?».

En el mundo actual, los sin papeles son un colectivo a disciplinar, un nuevo grupo a añadir a la lista foucoultiana de sujetos a los que el sistema social excluye sistemáticamente, como los locos y los presos. Estos hombres y mujeres están donde no deben y constituyen una amenaza para el modelo social dominante. Su mundo se encuentra en otro lugar, en sus países de origen, al otro lado de los muros, de las vallas, y se han colado aquí, entre nosotros. Por tanto, deben ser vigilados y castigados con la soledad y el miedo.

EL CONCEPTO DE SÍNDROME
EN EL CONTEXTO ACTUAL

Respecto a la denominación de síndrome al cuadro que describimos en este libro, se ha de señalar que es meramente descriptiva y que proviene de su acepción más simple: conjunto de signos y síntomas (no se le denomina ni enfermedad ni trastorno). Es obvio que estos inmigrantes presentan un buen número de ellos: hasta diez síntomas en algunos casos.

¿Por qué la utilización del concepto de síndrome para denominar a este cuadro? En el contexto actual, el concepto de síndrome tiende a ser cada vez más utilizado haciendo referencia a:

1. Un proceso reactivo.
2. Estresores bien identificados que actúan como causas del síndrome.
3. Un proceso reversible: cuando desaparecen las causas, los estresores que lo producen, el cuadro desaparece.

Ejemplos de la utilización del concepto de síndrome desde esta perspectiva son los siguientes:

1. El síndrome de Estocolmo, en el que la persona, ante una situación de violencia y coacción que pone en peligro su supervivencia, se somete temporalmente al agresor identificándose con él, como medio de lograr salir adelante, ya que si se opu-

siera arriesgaría su integridad física. Una vez liberado, el sujeto se adapta a la nueva situación, desvinculándose del agresor.

2. El síndrome de abstinencia, que surge cuando personas que padecen adicciones interrumpen el consumo de sustancias. Estos pacientes presentan una serie de síntomas bien identificados que desaparecen cuando se adaptan a la nueva situación y que no se corresponden con los de ningún trastorno mental. Según mis referencias, este concepto de síndrome de abstinencia supone el inicio de la utilización del concepto de síndrome en el sentido con el que se tiende a emplear actualmente de cuadro reactivo, sentido en el que se ubica el concepto de síndrome de Ulises.

3. El síndrome general de adaptación, que describió Selye (1956) y que supuso el arranque del paradigma de las relaciones entre estrés y salud. Para Selye, este síndrome no es una enfermedad, sino una reacción biopsicológica medible que intenta adaptarse a unos estresores que pueden delimitarse con gran precisión.

No puede entenderse el síntoma sin el contexto; hacerlo así es una abstracción, un reduccionismo. Síntoma o síndrome no equivale a enfermedad.

El término síndrome proviene del griego sin-dromos, que significa caminos que convergen, en este caso síntomas asociados. No indica la intensidad o gravedad de la situación que vive el sujeto.

Todos los conceptos cambian. En el siglo XIX, las neurosis eran entendidas como una degeneración de los nervios. Hoy el concepto de síndrome define la sintomatología de tipo reactivo a situaciones de estrés.

EL SÍNDROME DE ULISES
COMO CUADRO REACTIVO DE ESTRÉS,
NO COMO ENFERMEDAD

En el área de la salud mental y la migración se ubican tres grandes apartados (Achotegui, 2009):

1. Los trastornos mentales clásicos, modificados por el estrés migratorio y la cultura del sujeto.
2. Los Cultural Bound Syndromes (Dhat, Koro, Amok, anorexia mental, etcétera).
3. El síndrome del inmigrante con estrés crónico y múltiple (síndrome de Ulises).

La ubicación del síndrome de Ulises no se encuentra en el área de los trastornos mentales, sino, tal como se muestra en el esquema 3, entre el área de la salud mental y el área de la psicopatología. Al ubicarlo, se puede caer en dos tipos de errores: no valorarlo como problema, como situación de crisis, o considerarlo trastorno mental.

Esquema 3. Ubicación del síndrome de Ulises

Área de salud mental	Síndrome del inmigrante con estrés crónico y múltiple: síndrome de Ulises	Área de la psicopatología
Riesgo en el diagnóstico: considerar que no pasa nada. Peligro de banalización al negar el duelo migratorio extremo.		Riesgo en el diagnóstico: considerar que es un trastorno mental. Peligro de medicalización al convertir el cuadro en enfermedad. Victimización. Estigmatización.

En este esquema vemos que, al abordar el diagnóstico y la intervención en el síndrome de Ulises, hay dos peligros:

- El peligro de la banalización de esta problemática (a la izquierda). Hay profesionales que por prejuicios, por desconocimiento de la realidad de los inmigrantes, o incluso por racismo, desvalorizan, banalizan la importancia de la sintomatología. Esto tampoco resulta tan sorprendente cuando las organizaciones internacionales que deberían encargarse de ayudar a los inmigrantes apenas tienen programas de ayudas en salud mental para ellos. También desde ciertas teorías demasiado abstractas, demasiado alejadas de lo emocional, de lo psicológico, se deshumaniza la migración. Y emigran personas, no constructos teóricos, ni contenedores, ni gráficos estadísticos de colores. En el mundo de hoy existe una creciente tendencia a un poshumanismo nihilista. La ética humanista está en crisis. Es aquello de que «Dios ha muerto, el hombre ha muerto y yo mismo no me encuentro demasiado bien». En las ciencias sociales y en la filosofía existe un gran debate entre las corrientes antihumanistas, en la línea de Heidegger y Sloterdijk, y las humanistas de Kant y Habermas. Estos planteamientos suponen además una negación del duelo migratorio. Finalmente, la banalización del extremo sufrimiento de los inmigrantes nos recuerda los planteamientos de Hannah Arendt cuando hacía referencia a la banalización del mal.

- El peligro de la medicalización, de considerar las crisis de estrés que viven los inmigrantes como enfermedades (a la derecha). La mayoría de los que viven situaciones muy difíciles, incluso traumáticas, no enferman. Sabemos que tan solo el 20% de las personas que viven situaciones traumáticas llegan a desarrollar un trastorno por estrés postraumático (Kédia, 2008). Como señala la sabiduría popular: «Que Dios nuestro Señor no se digne enviarnos todos los males que somos capaces de aguantar». No es lo mismo ánimo afligido que depresión. Los Ulises son personas sanas, no enfermas, con un gran instinto de vida en la terminología psicoanalítica. Hay una creciente tendencia a medicalizar aspectos de la vida diaria: no hace mucho me comentaron que llegó un niño a un hospital con un contundente diagnóstico: «Se porta mal» (la mejor respuesta que se merecía esa demanda habría sido: «¿Y qué?»). Existe un riesgo de sobrediagnóstico: es muy corriente diagnosticar los casos de síndrome de Ulises como trastornos adaptativos o depresiones.

Se ve con más claridad la diferencia entre estar muy bien y encontrarse muy mal que el padecer situaciones complejas a medio camino entre la salud y la enfermedad. Hay una zona intermedia, una frontera entre la salud y la enfermedad, a veces difícil de delimitar, en la que se halla el síndrome de Ulises.

Otras reacciones de estrés serían el mobbing, el burnout y el bullying, que en algunos casos dan lugar a trastornos mentales y en otros a crisis de estrés. Conviene no olvidar que el trastorno mental no solo pertenece al campo de la atención de los profesionales asistenciales, sino también al de la salud mental y sus riesgos, es decir, al campo de la prevención.

He visto casos de inmigrantes que, aunque viven situaciones extremas, ni siquiera tienen síntomas y he llegado a considerar que su pronóstico, al menos teóricamente, podría ser peor que el de los que tienen sintomatología; su ausencia de respuesta, de síntomas, que en definitiva no son sino un intento de adaptación, podría augurarnos un mayor riesgo posterior de descompensación psicológica. Estos casos son muy interesantes desde el punto de vista conceptual, ya que fuerzan el análisis de las relaciones entre estresores y respuesta psicológica. Podríamos decir que nos hallamos ante «Rambos» que se han vuelto insensibles al sufrimiento psíquico. Pero no podemos dejar de expresar el temor de que estén «cocinando» una gran descompensación, seguramente de tipo psicopático o psicótico. Es como quien no reacciona al frío, dice que no le afecta, pero luego sufre congelaciones. No obstante, al menos en teoría, pueden darse casos de aguantes excepcionales. Como vemos, esta área es un campo apasionante para el análisis teórico y clínico en salud mental y psicopatología.

Tal como se indica en el manual para promotores de salud de la Universidad de Berkeley, el síndrome de Ulises se hallaría en un lugar intermedio entre el área de la salud mental y el área del trastorno mental (esquema 4).

Esquema 4. Ubicación del síndrome de Ulises en el modelo de intervención de la Universidad de Berkeley

1. Estado emocional equilibrado	2. Problemas de salud mental (estrés, nerviosismo, tristeza)	3. Síndrome de Ulises	4. Trastornos o enfermedades mentales (ansiedad, depresión, estrés postraumático)	5. Crisis de salud mental (peligro para sí mismo o para otros)

Es importante conocer las diferencias entre cada estado de salud mental, porque para cada nivel o gravedad, la persona necesitará un tipo de intervención diferente.

94

Análisis del síndrome de Ulises desde la perspectiva del DSM-V

En el contexto actual, el DSM (Diagnostic and Statistical Manual) se ha convertido en una especie de patrón oro, de biblia de la psiquiatría y las ciencias de la salud mental. Como su propio nombre indica, manual estadístico, su clasificación no sigue la tradición europea del diagnóstico fenomenológico y clínico. No pretende hilar tan fino en algo tan complejo como el diagnóstico psiquiátrico: está más cerca del diagnóstico práctico y rápido que del diagnóstico clásico europeo, mucho más conceptual. Como se ha mencionado con frecuencia, aplicando una metáfora culinaria, el DSM se aproxima más a la comida rápida que a la buena mesa.

El propio origen del DSM se encuentra en gran medida vinculado a estos aspectos prácticos, ya que una de sus principales raíces se basa en el interés de las aseguradoras por contar con criterios sencillos, fácilmente aplicables y comprensibles —incluso por personas con escasa formación en psicopatología— para clasificar a los pacientes con relación a sus pólizas de seguros. Todos ellos afanes muy loables, sin duda, por su deseo de practicidad y sencillez. Pero hay un pequeño problema: el área de la salud mental y la enfermedad mental no es precisamente simple y cómoda para hacer clasificaciones. La realidad es que la estructuración del diagnóstico psiquiátrico se acerca más a una compleja construcción cultural y social que a la sencillez y claridad conceptual de las tablas periódicas de Mendeléiev, por citar un ejemplo de clasificación científica bien conocida.

Estas limitaciones en la clasificación del DSM se expresan en la manera como el propio DSM ha ido cambiando en cada edición, aumentándose sin cesar desde la primera edición el número de trastornos y su clasificación en función en buena parte de las presiones de los diferentes grupos sociales (y sus correspondientes intereses en juego) que intervienen en su redacción. Así, tal como hemos señalado, el DSM comenzó considerando la homosexualidad como un trastorno mental, pero, con un encomiable espíritu de adaptación a los tiempos actuales, en la última edición decidió retirarla de la lista de trastornos. Se podrá alegar que es normal que haya cambios en las clasificaciones (por si sirve de referencia, en la tabla de Mendeléiev no los ha habido), pero se convendrá conmigo en que una clasificación científica no puede cambiar de forma tan relevante en cada edición. Se ha pasado de los 109 diagnósticos de la primera edición (1952) a los 389 de la quinta (2013).

Otros problemas de la clasificación del DSM serían:

1. La pretensión de clasificar por síntomas, para evitar tener que hacer referencia a las causas de los trastornos mentales (en gran medida de tipo social), es uno de los grandes problemas estructurales de este manual, ya que no se puede entender ni ubicar el síntoma sin el contexto, y al no hacerlo se cae en un gran reduccionismo.
2. El DSM no acepta una jerarquía entre los síntomas, a diferencia de los planteamientos de Jaspers y la psicopatología clásica europea, para los que el trastorno mental no es un mero listado de síntomas. No tienen la misma calidad diagnóstica dos síntomas como la tristeza y la irritabilidad.
3. El DSM genera una gran comorbilidad entre los trastornos, que deriva también de su empeño en clasificar tan solo con cri-

terios sintomatológicos, ya que gran parte de los trastornos mentales comparten los mismos síntomas.

Desde la perspectiva de la ubicación del síndrome de Ulises en el DSM, podría hallarse próximo al área que el DSM denomina «otros problemas que pueden ser objeto de atención clínica», en el que se incluyen cuadros como el duelo (263.4) y el problema de la aculturación (260.3). No obstante, habría que matizar que el síndrome de Ulises posee unos estresores mucho más intensos, así como mayor número de síntomas.

De todos modos, hay que remarcar el esfuerzo de los compañeros de la Iniciativa de Salud de las Américas y de la Universidad de Berkeley, así como el de la doctora Lieberman, de San Francisco, por intentar introducir en los grupos de debate del DSM-V los problemas de salud mental de los inmigrantes representados en el síndrome de Ulises. Desgraciadamente, mucho nos tememos que los sin papeles no tengan, por ejemplo, la fuerza del poderoso *lobby* de los veteranos de la guerra de Vietnam, que lograron que sus problemas fueran recogidos en las clasificaciones del área de la salud mental, en el diagnóstico del trastorno por estrés postraumático.

Un aspecto muy importante del diagnóstico del síndrome de Ulises es que es excluyente: si existe un trastorno mental, no puede diagnosticarse este síndrome. No admite, por tanto, comorbilidad, que es uno de los grandes problemas del DSM: la mayoría de los cuadros se dan conjuntamente con otros y este solapamiento genera una enorme confusión.

DOS METÁFORAS

Voy a presentar a continuación dos metáforas que pueden ayudar a comprender mejor el concepto de síndrome de Ulises.

Para la primera, imaginemos que en la habitación en la que nos encontramos subiera la temperatura hasta los 100 grados: tendríamos mareos, calambres, etcétera. ¿Estaríamos enfermos por tener esos síntomas? No. Esos síntomas se corresponderían con un intento de adaptación fisiológica a esa elevada temperatura, ante la que fracasa nuestra capacidad automática de termorregulación, lo cual da lugar a una serie de respuestas del organismo (los síntomas) para intentar disminuir los efectos fisiológicos de la elevación de la temperatura. Cuando la temperatura descendiera, los síntomas desaparecerían, pero, si la situación persistiera indefinidamente, el riesgo de enfermar se iría incrementando. Lo mismo ocurre con los síntomas en el síndrome de Ulises. Pero si a causa del calor alguien en la sala sufriera un infarto o un cólico, sí que estaría enfermo. Si trasladamos la metáfora al terreno de la psicopatología, esa persona tendría un trastorno mental.

La segunda —una conocida metáfora oriental— es la de la caña de bambú que se dobla ante el vendaval pero no se rompe; cuando la situación mejora, va recuperando su posición. En esta metáfora, la caña que se rompe es similar a la situación del enfermo que ve quebrada su salud.

OBJECIONES AL SÍNDROME

La primera objeción que puede hacerse a nuestro planteamiento es que denominar síndrome a este cuadro puede suponer una psiquiatrización de esta temática. Como respuesta diremos que la denominación de síndrome es ante todo descriptiva (como conjunto de signos y síntomas) y que actualmente se utiliza cada vez más para referirse a cuadros reactivos de estrés cuya etiología se conoce muy bien, como el síndrome de Estocolmo y el síndrome de abstinencia. Es decir, con la denominación de síndrome de Ulises no se está planteando que estos inmigrantes padezcan un trastorno o una enfermedad mental: al pasarles el cuestionario de Hamilton, tanto de ansiedad como de depresión, obtienen un resultado negativo porque no llegan al nivel de sintomatología requerido. Estos inmigrantes padecen una serie de síntomas que pertenecen al ámbito de la salud mental, que es un ámbito más amplio que el de la psicopatología, a la que abarca. Los errores diagnósticos y los tratamientos inadecuados que siguen son nuevos estresores para los inmigrantes.

Por otra parte, tampoco estamos de acuerdo con la afirmación de que no les pasa nada a nivel psicológico: sostener eso sería no aceptar la realidad de sus numerosos síntomas y discriminarles una vez más. Más bien al contrario, pensamos que, al plantear la delimitación y denominación del síndrome de Ulises, estamos contribuyendo a evitar que sean incorrectamente diagnosticados como enfermos depresivos o psicóticos, al no existir hasta ahora una denominación para su padecimiento. En la práctica asistencial, hemos visto innumerables veces que el profesional, al no saber dónde ubicar estos casos, acaba poniéndolos en la casilla de algún trastorno mental, diagnosticándolos habitualmente como trastornos depresivos, de ansiedad, adaptativos o por estrés postraumático. Esto sí que es psiquiatrizar: diagnosticar, por ejemplo, como trastorno adaptativo a un inmigrante que tiene el síndrome de Ulises, que está viviendo estresores inhumanos ante los que no hay capacidad de adaptación posible, ni su sintomatología concuerda con ese cuadro psiquiátrico.

El intento de nombrar una realidad que nadie niega es positivo (otra cosa es que nuestro planteamiento, como todo en la ciencia, sea discutible y mejorable). Delimitar una problemática, darle un nombre, es un primer paso para afrontarla, un primer paso en la sensación de control del sujeto. No hay nada peor que un sufrimiento sin nombre. De hecho, han sido los propios inmigrantes los que más han apoyado el planteamiento del síndrome de Ulises.

Este debate —en ocasiones no exento de tensión— es muy importante. Ya hemos señalado que la denominación de síndrome es descriptiva (conjunto de síntomas), pero hay quien prefiere denominar a este cuadro «mal de Ulises» o «acongojamiento de Ulises». Desde luego, algo les pasa... El nombre, si hace falta, lo dejamos abierto a concurso.

En resumen, la pregunta es la siguiente: ¿no es más peligroso confundir estos cuadros con depresiones, psicosis o trastornos adaptativos por no poder enmarcarlos, delimitarlos? ¿No es este un mayor riesgo de psiquiatrización? ¿No es peligroso y discriminatorio considerar que esas personas están bien, que no sufren ningún problema de salud mental, a pesar de tener hasta diez síntomas?

No se acaban aquí las objeciones que se hacen al síndrome. Demos respuesta a algunas de las afirmaciones que se escuchan:

- Es lo de siempre: la añoranza del inmigrante, el cambio de lengua... Respuesta: desde el inicio del siglo XXI la situación de los inmigrantes ha empeorado radicalmente: soledad forzada, fracaso y ausencia de oportunidades, lucha por la supervivencia, terror, indefensión. No es la típica morriña ni el clásico estrés aculturativo sobre si les gusta la paella o la fabada.
- El síndrome es cosa de la prensa. Respuesta: en un mundo tan cambiante, los medios de comunicación suelen hacerse eco de esta problemática porque están más próximos a lo que pasa en la calle que la psiquiatría académica y los *staffs* profesionales. Estos tienden a ser muy conservadores y permanecen cerrados ante los nuevos fenómenos psicosociales y sus implicaciones en la salud. Si no se acepta la idea del síndrome de Ulises, nadie podrá negar que los tremendos estresores descritos son reales y merecen denominarse «estresores Ulises».
- Lo que se describe no es nuevo, hay muchos otros colectivos en situaciones de estrés parecidas. Respuesta: en el síndrome de Ulises se aúnan los duelos de la migración vividos en situación extrema (algo que no viven los autóctonos, ya que no emigran) con otros estresores que pueden ser comunes a los de los autóctonos, pero que el inmigrante vive «corregidos y aumentados»: soledad, estrés laboral (explotación, precariedad, paro), miedo. Ningún autóctono, ni siquiera un colectivo tan excluido como el de los sin techo, padece ni de lejos la indefensión y la ausencia radical de oportunidades que vive el inmigrante en situación extrema que hemos descrito.

Epidemiología y pronóstico

¿Cuántos inmigrantes padecen el síndrome de Ulises? Diversos estudios epidemiológicos muestran un porcentaje de alrededor de un 15% de los inmigrantes que se visitan tanto en los centros de salud mental como en los centros médicos. Pero pueden ser muchos más, porque son invisibles, son «los nadie». En todo caso, es obvio que, con el nivel de persecución y exclusión social que padecen, los que llegan a los servicios asistenciales son la punta del iceberg.

Se calcula que en 2019 había en España casi un millón de sin papeles, en Europa unos doce millones y otros tantos en Estados Unidos, donde la última regularización la llevó a cabo Ronald Reagan en la década de 1980 y donde hay hijos de sin papeles instalados ya en la exclusión social permanente. Si las personas que viven en esta situación no acuden a visitarse, no podemos saber cuántas padecen el síndrome, pero sí tenemos datos para evaluar al menos si padecen los estresores Ulises. Desde esta perspectiva, todos los sin papeles son víctimas de estos estresores: no pueden traer a su familia, no pueden trabajar legalmente, y pueden ser detenidos y expulsados. Ahora, cuántos de entre estos desarrollan una enfermedad mental y cuántos el síndrome de Ulises es muy difícil de saber, aunque tuviéramos datos fehacientes acerca de todos los inmigrantes que en estas condiciones desarrollan un trastorno mental, porque gran parte de los inmigrantes sin papeles no contacta con la red asistencial ni siquiera estando enfermos. De todos modos, según nuestra experiencia y los datos que conocemos de las asociaciones de inmigrantes y de las ONG de ayuda, una parte relevante de ellos padece el síndrome de Ulises, por lo que nos hallamos ante una auténtica catástrofe humanitaria, aunque silenciosa, invisible.

En cuanto a la evolución del cuadro, nuestra experiencia señala que estos inmigrantes tienden a mejorar si reciben ayuda adecuada, pero al cabo del tiempo, si los estresores persisten, que es lo que suele ocurrir, vuelven a recaer.

A raíz de la última regularización en España, que llevó a cabo el gobierno de Zapatero en 2005, pudimos observar la evolución del síndrome en las nuevas circunstancias. El cuadro desaparecía cuando los estresores que lo habían provocado ya no actuaban sobre los inmigrantes: podían traer a su familia, tenían acceso a puestos de trabajo legales, iban por la calle tranquilos, sin tener que volver continuamente la vista atrás para ver si los seguían, etcétera. Hemos podido estudiar el proceso completo:

1. Personas sanas, sin antecedentes de trastorno mental antes de emigrar.
2. Emigran en un contexto de estresores Ulises (soledad forzada, ausencia de oportunidades, miedo...).
3. Desarrollan el cuadro reactivo de estrés que es el síndrome de Ulises (los síntomas Ulises descritos).
4. Los estresores desaparecen al mismo tiempo que el cuadro y los inmigrantes vuelven a estar bien como en la situación inicial.

Pocas veces puede ser estudiado un proceso de estas características en todas sus fases, de la primera a la última.

El síndrome de Ulises es a la vez síndrome y pródromos; constituye una antesala, la frontera entre la salud mental y el trastorno mental. Este síndrome sería una respuesta del sujeto ante una situación de estrés límite, un estrés de tal naturaleza que es superior a las capacidades de adaptación del ser humano (vivir permanentemente en soledad, sin salida, con miedo). Si esta situación no se resuelve favorablemente, existe el riesgo de que los inmigrantes con cierto grado de vulnerabilidad acaben franqueando el umbral de la enfermedad mental. Sabemos que muchos inmigrantes adictos a sustancias no lo eran antes de emigrar. Hasta el 70% de los casos atendidos no padecían el trastorno en el país de origen; son casos nuevos, según referencias de los servicios de atención a inmigrantes con adicciones.

Un tema que me he planteado con frecuencia es si existen diferencias en el padecimiento del síndrome de Ulises con relación al género o la etnia. Mi experiencia es que en todos los casos se vive de modo parecido. Volviendo al ejemplo de la temperatura en una habitación, podríamos decir que a 100 grados nos mareamos todos, hombres y mujeres, blancos y negros. En esta metáfora, hay un nivel de estresores, de temperatura, en el que las diferencias de cultura o de género cuentan muy poco. Todos somos humanos. De cualquier modo, creo que las mujeres tienen con frecuencia más estresores que los hombres: menos libertad, peores salarios y doble trabajo al tener que encargarse además de la casa y los niños. Continuando con la metáfora de la temperatura, las mujeres estarían a 110 grados. Por otra parte, si tuviera que señalar un grupo con mayor resistencia física y mental ante los estresores Ulises, sería sin duda el de los africanos, el de los subsaharianos (término que no quiere decir que estén por debajo de nadie, sino solo más al sur). Por eso, resulta paradójico que, siendo los más fuertes, sean el grupo que más sufre el racismo.

Intervenir preventivamente

Tras lo planteado sobre el síndrome de Ulises, queda claro que la intervención en este cuadro pertenece más al campo de la prevención en salud mental que al campo del tratamiento. Por esta razón, es de gran importancia el trabajo de enfermería, el de trabajadores y educadores sociales, etcétera. Dado que ante las situaciones de estrés límite a las que han de hacer frente estos inmigrantes es previsible que haya un mayor riesgo de alcoholismo, psicosis o depresión, la prevención es fundamental con las personas que padecen situaciones extremas, aunque no hayan desarrollado aún ninguna enfermedad. Obviamente, es mejor invertir en prevención. Es más digno y más práctico. Un psicótico inmigrante es muy difícil de tratar: problemas de comunicación lingüística y cultural, falta de apoyo social y de recursos, y dificultades para que siga el tratamiento. Sin embargo, lamentablemente, el modelo médico occidental ha estado dirigido al tratamiento más que a la prevención. En otras civilizaciones, como la china, no ha sido así: el referente ha sido la salud, no la enfermedad. Así, en la China antigua se pagaba al médico cuando la persona estaba sana; cuando enfermaba, era el médico el que pagaba al paciente por haber fallado en su cometido de mantenerle sano (véase la figura 4).

En la medicina china tradicional, se pagaba al médico mientras se estaba sano.

Cuando se enfermaba, el que pagaba era el médico.

Figura 4. Talla del siglo XVIII realizada en esteatita: se trata del dios estrella de la longevidad, Shoulao, reconocible por su cabeza calva y su báculo. En la mano derecha sostiene un melocotón, dentro del cual hay una grulla, símbolos ambos de una larga vida.

Por tanto, el síndrome de Ulises se halla más inmerso en el área de la prevención sanitaria y psicosocial que en el área del tratamiento. La intervención tendrá por objeto evitar que las personas que sufren este cuadro acaben empeorando y lleguen a padecer un trastorno mental estándar (esquema 5). Es difícil saber qué personas en situación extrema pueden pasar el umbral de la enfermedad y cuáles no, ya que nuestros conocimientos sobre la vulnerabilidad son aún limitados, por lo que es importante ayudar a todas. Como señalan los estudios de González de la Rivera (2005) en la Fundación Jiménez Díaz de Madrid, una gran parte de los inmigrantes que acudían a visitarse en la red asistencial lo hacían a través del servicio de urgencias y con síntomas graves, es decir, en las peores condiciones asistenciales. La ausencia de prevención y de atención precoz habría sido un factor relevante en la agravación de los cuadros que padecían los inmigrantes.

Así pues, el síndrome de Ulises es también, paradójicamente, una frontera, una más para personas que han atravesado tantas, la última frontera, la frontera que les puede separar esta vez de la enfermedad.

En la medicina clásica se diferenciaba a Hygieia, la diosa del bienestar y la higiene, de Esculapio, el dios de la medicina y el tratamiento. Es obvio que hemos de tener más presente a la diosa Hygieia, conocida en Roma como Salus.

Esquema 5. La salud mental sobrepasa el área de los trastornos mentales

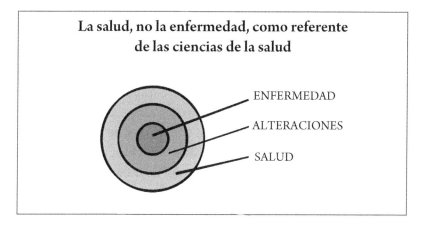

Estrategias de prevención

Con referencia a la salud mental y siguiendo a Cuijpers (2008), habría tres tipos de estrategias de prevención:

1. Universal: orientada a la población general, independientemente del nivel del riesgo de padecer un trastorno.

2. Selectiva: destinada a la población con un riesgo relevante, pero que todavía no ha desarrollado un trastorno mental; por ejemplo, personas que han vivido situaciones como divorcios, accidentes o paro.

3. Indicada: orientada a personas que tienen ya algunos síntomas de la enfermedad, pero que no cumplen criterios diagnósticos.

La intervención en el síndrome de Ulises se hallaría circunscrita a los dos últimos apartados.

Como estrategias de intervención, destacaremos las basadas en el apoyo psicoeducativo, el *empowerment* y el desarrollo de las capacidades de autonomía del sujeto, técnicas a las que se está prestando cada vez más atención en los últimos años.

Estas actividades son diferentes de las psicoterapéuticas, aunque pueden ser complementarias. Dado que muchas de las personas que viven situaciones de estrés crónico y exclusión social no están enfermas, sino que atraviesan situaciones de crisis, las intervenciones de tipo psicoeducativo están particularmente indicadas en estos casos. No obstante, también son de interés para las personas que padecen un trastorno mental, ya que pueden ser utilizadas de modo complementario a su tratamiento psicofarmacológico y psicoterapéutico.

Entre las estrategias de apoyo psicoeducativo y de *empowerment* se encuentra la higiene del sueño, ya que el insomnio es uno de los síntomas más comunes en el síndrome de Ulises y en las situaciones de estrés crónico y exclusión social. Dormir se relaciona con un conjunto de conductas que, de la misma manera que se adquieren, pueden perderse, y con situaciones que potencian estas conductas. Algunos aspectos de la higiene del sueño serían: no tomar alcohol por la noche, no fumar en la cama si no se puede conciliar el sueño, cenar al menos dos horas antes de ir a dormir, tomar preferentemente hidratos de carbono y evitar hacer ejercicio intenso antes de acostarse, tal como he señalado en el libro *La inteligencia migratoria*, publicado en esta misma editorial.

Otras estrategias de prevención serían las técnicas corporales, como el ejercicio físico (Ogden, 2008; Reeve, 2002), con el que se obtienen numerosos beneficios:

- Favorece la salud en general: se relaciona con la longevidad, y con la mejora de la hipertensión, la obesidad, la diabetes, la osteoporosis y las enfermedades coronarias, entre otras.
- Favorece la salud mental: mejora la respuesta al estrés (modifica la percepción de la situación estresante), disminuye la ansiedad, incrementa la sensación de control del sujeto (muy importante en la salud mental) e incrementa la producción de endorfinas, los opiáceos naturales del cerebro.
- Refuerza los vínculos y las relaciones sociales, dado que suele realizarse en grupo.
- Algo tan sencillo como el caminar ya resulta de gran utilidad contra las molestias osteomusculares relacionadas con el estrés, ya que al andar los músculos del cuerpo se reequilibran, contribuyendo así a compensar las contracturas provocadas por la tensión emocional.

Otra actividad que favorece el manejo del estrés son las técnicas de relajación. Siguiendo a Fischer y Tarquinio (2006), señalaremos entre las más conocidas:

- La técnica de relajación progresiva de Jacobson (1980): consiste en una serie de ejercicios basados en el aprendizaje de la regulación del tono muscular a través de la alternancia tensión-distensión. Esta técnica permite a la persona hacerse consciente del grado de tensión de los diferentes grupos musculares del cuerpo (se trabaja sobre 16 de ellos). Es esencial contraer bien los músculos antes de relajarlos completamente.
- El entrenamiento autógeno de Schultz (1980): se basa en la concentración mental estimulada por la autosugestión. Este autor parte de la base de que, en estados de hipnosis, el sujeto es capaz de percibir las sensaciones de pesadez y calor que se asocian, respectivamente, a la distensión muscular y a la dilatación vascular. El sujeto concentra su atención en una parte del cuerpo (la mano, el pie, etcétera) y, a través del refuerzo autosugestivo de las sensaciones de pesadez, entra en un estado de tipo hipnoide, que se denomina autógeno, encaminado a conseguir una desconexión general. Es una especie de auto-hipnosis fraccionada, en la que el sujeto observa intensamente sus propias funciones fisiológicas y se identifica con ellas, de modo que la realidad se aleja.

También resultan relevantes aspectos como el aprendizaje de habilidades sociales o la utilización del humor. Cada vez hay más consenso acerca de la importancia del humor como elemento favorecedor de la elaboración del duelo y el afrontamiento del estrés. El humor sería visto como un elemento de rebeldía y como un intento de controlar las situaciones estresantes.

La relación asistencial con los inmigrantes que viven situaciones de exclusión social tiene características específicas: se daría lo que he denominado «relación terapéutica extendida o ampliada»

(Achotegui, 2007). La relación entre la persona que pide ayuda y el profesional que la atiende constituye un elemento fundamental en la intervención terapéutica, planteamiento que está muy presente tanto en la historia de la medicina y la psiquiatría occidentales, como en la medicina de civilizaciones como la china y la hindú. Sin embargo, en los casos en los que el paciente vive situaciones de estrés crónico y exclusión social, esta relación se encontraría alterada, modificada, y es necesario tener en cuenta estos cambios en la dinámica asistencial para intervenir adecuadamente. Denominamos «relación terapéutica extendida o ampliada» al conjunto de interacciones que el demandante y el profesional movilizan en la relación terapéutica en una situación de estrés crónico y exclusión social. (Al utilizar el término demandante queremos señalar que no todas las personas que consultan a los servicios de salud mental son enfermos).

En la relación terapéutica extendida habría en el demandante hostilidad, que se expresaría como desconfianza, recelo, temor o rabia. Las personas que viven situaciones de estrés crónico y exclusión social, como los inmigrantes en situaciones extremas, llegan incluso a relacionar al profesional asistencial con personas de amplias capas de la sociedad de acogida (a las que el profesional pertenece) que los rechaza: asocia el terapeuta con el patrono, el policía o el funcionario. Por otro lado, habría una expresión somatizada de la demanda: fatiga, cefaleas (in-migraña), ya que en las situaciones de estrés muy intenso, cuando el dolor psíquico desborda las capacidades de elaboración del sujeto, hay una tendencia a la somatización.

En esta relación extendida, el profesional puede llegar a sentir impotencia y frustración, dadas las dificultades que entraña la respuesta terapéutica en estos casos, que se pueden expresar con actitudes de rechazo o con reacciones de tipo paternalista, como compasión o lástima. El profesional también puede sentirse quemado (burnout), sobre todo cuando el sistema sanitario le deja «solo ante el peligro». Cuando el profesional se siente apoyado en su trabajo, bien dirigido, el efecto del burnout es mucho menor; pero cuando se siente como un fusible del sistema ante los problemas sociales, su moral decae gravemente. El colectivo que trabaja en funciones asistenciales es uno de los más afectados por esta problemática.

En estos casos, se ha de adaptar la intervención asistencial teniendo en cuenta los aspectos técnicos de la relación terapéutica extendida, esbozados en los párrafos anteriores:

- Huir de la «neutralidad terapéutica», característica de los planteamientos psicoterapéuticos clásicos. Desde la perspectiva de los aspectos emocionales, la relación asistencial ha de ser más próxima.
- Adecuar el tiempo terapéutico, fundamentalmente en la primera visita, ya que, para entender en profundidad la problemática de personas que proceden de contextos sociales y culturales muy diferentes al del profesional que atiende a los inmigrantes, se requiere manejar un gran volumen de información, lo cual conlleva inevitablemente la necesidad de más tiempo de atención (no somos adivinos).
- No intervenir sin saber cuáles son los problemas fundamentales del paciente, sus causas, etcétera. Una intervención inadecuada puede complicar aún más las cosas.
- Considerar los aspectos culturales, teniendo presente que la identidad cultural del sujeto es un proceso de construcción y deconstrucción personal permanente que siempre hemos

de respetar, por lo que debemos evitar caer en estereotipos en relación con las culturas de los inmigrantes y las minorías.

- Tener en cuenta los aspectos sociales de los Social Bound Syndromes. Desde esta perspectiva, constituiría una falta de empatía que el profesional se empeñara en ver tan solo el lado clínico, psicológico, en el ámbito del conflicto interpersonal o del error cognitivo de la conducta del sujeto cuando este se halla afectado por graves problemas sociales.

Humanizar la migración

No es lo mismo psicologizar, humanizar la migración, que medicalizar. Desde ciertos planteamientos —que se centran en teorías demasiado abstractas y poco empáticas, en la acumulación de datos demográficos y económicos— se está deshumanizando la migración. Emigran personas, no constructos teóricos, ni contenedores ni gráficos. De ahí el nombre de Ulises para este síndrome, como un intento de rehumanizar, de mirar atrás en estos tiempos confusos y retornar al humanismo griego.

Esta vuelta al humanismo debe hacernos ver que el objetivo de la intervención psicológica es la liberación, no la normalización del sujeto. No es nuestro trabajo ajustar los tornillos a nadie para que vuelva a la cadena, a la norma social, en una intervención de tinte disciplinario en la línea de los planteamientos de Foucault anteriormente señalados.

El dilema ético
ante las migraciones del siglo XXI:
el dilema de Javert

Javert es uno de los personajes centrales de la novela *Los miserables*, del gran escritor francés del siglo XIX Victor Hugo. La novela describe a un ejemplar funcionario del gobierno, una persona extremadamente celosa del cumplimiento de su deber y de la aplicación de las leyes, a las que considera la auténtica piedra angular del sistema social y de la justicia. Javert es un hombre convencido de que siempre, por encima de todo, se ha de cumplir la ley, que es la base de la civilización. Incluso, tal como lo refleja en varias ocasiones la novela, si él mismo tiene alguna conducta poco edificante, insiste en que debe ser castigado duramente.

Esa defensa implacable del orden establecido llevará a Javert a perseguir sin descanso a un fuera de la ley, Jean Valjean, un hombre que, dado que infringió una vez la ley (cogió un trozo de pan para sus sobrinos hambrientos), es malo por naturaleza y debe ser perseguido, apartado; no debe ya formar parte de la sociedad, pues la pondría en peligro.

Sin embargo, el celoso funcionario Javert, a lo largo de los episodios de la novela que describen su implacable persecución de Valjean, va descubriendo que el ex penado es en realidad un hombre generoso, una buena persona. Se da el caso de que cuando tiene lugar la sublevación de 1856 en París, y Javert es condenado a muerte por los insurrectos, Valjean no duda en defenderle, arriesgando incluso su vida hasta lograr que lo pongan en libertad.

Tras este episodio, Javert se sume en una gran confusión, ya que se plantea: ¿acaso alguien que se halla fuera de la ley puede ser bueno? ¿Estoy actuando de modo justo con Valjean? Victor Hugo describe magistralmente las contradicciones de Javert en la novela:

Los axiomas que habían sido los puntos de apoyo de toda su vida, caían uno a uno por tierra ante aquel hombre. [...] Javert sentía penetrar en su alma algo horrible: la admiración hacia alguien fuera de la ley. [...] Por más esfuerzos que hacía tenía que confesar en su fuero interno la sublimidad de aquel miserable. [...] Su mayor angustia era la desaparición de la certidumbre. Sentía como si le faltasen las raíces. El Código de la ley se convertía en papel mojado en su mano. Acometíanle escrúpulos de una clase desconocida. No le bastaba ya permanecer en la honradez antigua. Un nuevo orden de hechos inesperados surgía y le subyugaba. [...] Conque era verdad que había excepciones, que la regla podía retroceder ante un hecho. ¿Hay pues algo por encima del deber? Agitábale una especie de vértigo. Hasta entonces había vivido con la fe ciega que engendra cumplir la ley. Abandonábale esa fe (*Los miserables*, 2017).

Como señala Vargas Llosa, el personaje de Javert es el más interesante de *Los miserables*. Victor Hugo construye unos personajes sin aristas, sin concesiones. Eso nos ayuda a ver con claridad las contradicciones. De hecho, los personajes de Victor Hugo son personajes homéricos.

En el mundo de hoy vivimos el mismo dilema que Javert en *Los miserables*. Hoy todos somos Javert, porque ¿qué postura debemos adoptar ante esos inmigrantes que nuestras instituciones consideran «ilegales», esos «fuera de la ley» como Valjean que tantos «biempensantes» de nuestra sociedad consideran que no pueden estar entre nosotros porque podrían desestabilizar nuestro sistema?

A la vez somos conscientes de que son buenas personas, de que no han hecho nada malo, y además nuestro modelo de sociedad se basa en la Declaración Universal de los Derechos Humanos, en elevados valores éticos.

¿Qué hacer ante esa flagrante contradicción? Javert no encuentra solución a su dilema. Su conciencia no le permite perseguir a un justo. No sabe cómo defender su sociedad, sus leyes, sus valores, y a la vez ser justo con Valjean. Victor Hugo ejemplifica la ausencia de solución a ese dilema cuando Javert, incapaz de tolerar no ser justo, se arroja a las aguas del Sena una fría noche de invierno.

Utilización del concepto de síndrome de Ulises

Actualmente, este concepto está siendo utilizado en dos sentidos:

1. En sentido amplio (débil): el síndrome de Ulises se entendería como el conjunto de síntomas psicopatológicos que presentan los inmigrantes que viven los estresores Ulises (Mardomingo, Bosch). Desde este planteamiento, el síndrome de Ulises abarcaría la sintomatología de todos los inmigrantes en situación extrema, independientemente de su diagnóstico, es decir, se trate o no de una sintomatología de trastorno mental. Por supuesto, no compartimos este planteamiento.

2. En sentido restringido (fuerte): el que utilizamos en este texto, como un cuadro reactivo de estrés que presentan los inmigrantes que padecen los estresores Ulises (SAPPIR, Pérez Crispi).

Introducción a la escala Ulises de adversidades en la migración

La escala es un instrumento que posibilita la estructuración de la compleja información clínica y psicosocial vinculada al estrés y el duelo migratorio, de modo que resulte más ordenada y contribuya a facilitar el trabajo asistencial y de investigación. La escala puede ser utilizada en los diferentes servicios que atienden a inmigrantes: sanitarios, sociales, educativos, etcétera.

El nombre de escala Ulises hace referencia a las adversidades y peligros vividos en soledad por los inmigrantes de hoy, que nos evocan la figura del héroe griego.

Justificación de la escala

El relato que nos trae el inmigrante posee un extraordinario valor fenomenológico y antropológico, pero en el trabajo asistencial es muy importante tratar de estructurar y operativizar la información que poseemos, de modo que resulte comparable con la obtenida por otros profesionales.

La escala surge fundamentalmente ante las nuevas migraciones en situación extrema del siglo XXI. La migración en estas condiciones límite se convierte en un elemento muy importante, incluso determinante, en la biografía del sujeto, debido a la tensión psicológica que provoca, hasta el punto de que constituye un factor de riesgo relevante para la salud mental. Si bien resulta de interés el análisis del estrés y el duelo en todas las migraciones, lo es aún más en contextos de migración en condiciones extremas, como las que estamos viviendo en los últimos tiempos. Otro factor que ha contribuido a la puesta en marcha de la escala ha sido la creciente demanda de instrumentos de evaluación del estrés y el duelo migratorio, y más específicamente del síndrome de Ulises.

Objetivos de la escala

Los objetivos son los siguientes:

1. Proporcionar los criterios de evaluación de los factores de riesgo para la salud mental en la migración, a fin de poder comparar la situación de riesgo de los inmigrantes que son atendidos en los servicios asistenciales.
2. A partir de la evaluación efectuada, proporcionar criterios consensuados y objetivables sobre cómo distribuir de modo equitativo los recursos asistenciales (habitualmente escasos) y evitar el riesgo de intervenciones basadas en intuiciones o corazonadas.
3. Definir las áreas en las que existen factores de riesgo y en las que se ha de intervenir para poder permitir «olvidarnos» de las áreas que ya funcionan, optimizando los recursos asistenciales en los problemas reales del inmigrante. La experiencia nos dice que no siempre se focaliza adecuadamente la intervención, con el derroche de recursos que eso supone (y la disminución de recursos en los aspectos necesarios). Tan im-

portante es saber dónde se ha de intervenir como conocer dónde no es necesario intervenir porque no hay problema. Así se deja esa área libre de intervención psicosocial (no se trata de meterse en cómo cada cual vive su vida, en este caso su migración).

Características de la escala

Las más importantes son:

1. La escala mide factores de riesgo. El planteamiento sería similar al de una compañía de seguros: la escala valora el riesgo de problemas.
2. La escala es etic, es decir, valora los hechos desde un marco conceptual externo a la interpretación que pueden hacer los propios inmigrantes de los acontecimientos que viven (el concepto «etic» proviene de K. L. Pike, 1967). Ese marco conceptual se fundamenta en la teoría psicoanalítica del duelo, la psiquiatría social y la psicología evolucionista, no en la perspectiva de cómo el sujeto valora los hechos. La vivencia del sujeto se recoge en una sección anexa de la escala, denominada «Observaciones», como aspecto subjetivo.
3. La escala es un elemento, una parte de la exploración, y lo que finalmente cuenta es la valoración global del inmigrante que efectúa el profesional que le atiende y que es quien debe ligar el conjunto de la información obtenida en la exploración.

La escala se basa en tres grandes pilares (esquema 6):

1. Los tipos de situaciones de estrés o de duelo que se dan en la migración: los siete duelos de la migración.
2. La valoración de la intensidad con la que se dan esos duelos: se diferencia entre duelo simple, complicado y extremo.
3. La valoración de los factores que modulan esos duelos y que son la vulnerabilidad y los estresores.

Esquema 6. Elementos que conforman la escala de evaluación del estrés y el duelo migratorio: escala Ulises (Achotegui, 2007)

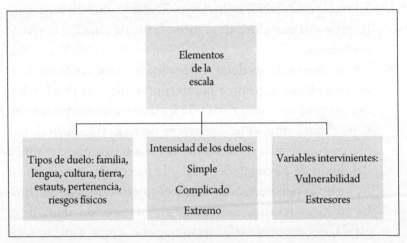

Se definen como indicadores de la escala todos aquellos aspectos de la realidad estudiada por ella que podemos especificar de cara a su evaluación. Podemos decir que son «la letra pequeña» de la escala. En cada indicador se ha de valorar la intensidad, la frecuencia y la duración del ítem:

- Indicadores de vulnerabilidad: limitaciones físicas, limitaciones psíquicas, dificultades en la historia personal, tener más de 65 años.
- Indicadores de los estresores: estresores personales, estresores sociales, estresores ambientales.

Cuarta parte

El síndrome del inmigrante con estrés crónico y múltiple: estresores y sintomatología

Descripción de los estresores

Como ya hemos dicho, las migraciones del siglo XXI presentan unos estresores psicosociales estrechamente relacionados con la salud mental (esquema 7).

Esquema 7. Estresores del síndrome de Ulises

1. La soledad forzada: no poder estar con la familia, no poder traerla. Aun teniendo papeles, muchos inmigrantes no pueden llevar a cabo la reagrupación familiar por carencia de recursos o por trabas administrativas.
2. El fracaso del proyecto migratorio y la ausencia de oportunidades: no tener acceso a los papeles y al mercado de trabajo, o hacerlo en condiciones de explotación.
3. La lucha por la supervivencia: dónde alimentarse, dónde dormir.
4. El miedo, el terror: peligros en el viaje migratorio (pateras, camiones), control y amenazas de las mafias, temor a ser expulsados (hay una brigada de expulsiones en la policía), malos tratos, abusos sexuales, indefensión.

La soledad forzada

El primer estresor es el duelo por la familia, especialmente cuando se dejan atrás hijos pequeños o padres ancianos y enfermos, a los que no se puede traer consigo ni ir a visitar por la imposibilidad de retorno al país de acogida al no tener papeles. Esta situación no solo afecta a los sin papeles. Hay inmigrantes que no pueden traer a su pareja y a sus hijos por otras causas: por ejemplo, aunque estén regularizados, no tienen los recursos económicos básicos que se requieren para autorizar la reagrupación familiar. Si se trabaja en condiciones de explotación, es muy difícil tener el nivel de vida y de vivienda necesario para que el notario autorice la llegada de los familiares. Se ha de expedir un «certificado de idoneidad», que se deniega en el 50% de los casos (*La Vanguardia*, 9 de abril de 2009). Y aún podemos añadir que tenemos constancia de casos de inmigrantes que, poseyendo papeles y teniendo el nivel de vida requerido, son objeto de todo tipo de pegas para evitar la reagrupación familiar, como señala H. Bedoya desde el CITE.

La situación es aún peor en países como Austria y Australia, en los que ni siquiera está reconocido el derecho a la reagrupación familiar; solo se admiten cupos de familiares de inmigrantes, es decir, se acepta como algo natural que un inmigrante no tiene derecho a la vida familiar. Aunque la Unión Europea reconoce en teoría el derecho a la reagrupación familiar, en la práctica, en numerosos países, se impide de mil maneras poder ejercerlo. Y llama poderosamente la atención que sean sobre todo los sectores sociales más conservadores (que suelen basar buena parte de su discurso en resaltar la importancia de la familia) los que estén detrás, la mayoría de las veces, de estas medidas tan inhumanas que la fracturan de modo permanente. Da la impresión de que esta gente, cuando habla de la importancia de la familia, se refiere solo a la suya, no a la de los demás.

También se ha de tener en cuenta que los inmigrantes que llegan por reagrupación familiar, al no permitírseles por ley trabajar, carecen de perspectivas de futuro y se convierten en una carga para sus familias, con los conflictos que ello origina. Las situaciones legales pueden llegar a ser tan complicadas que se han descrito casos de familias en las que cada miembro tenía un estatuto legal diferente.

Desde el punto de vista psicológico, está bien establecido que mantener las familias unidas ayuda a elaborar mejor las situaciones extremas: las experiencias de la segunda guerra mundial y de la guerra de Bosnia nos han mostrado que los niños se encuentran mucho más afectados psicológicamente cuando están separados de sus padres, aunque tengan mejores condiciones (de vivienda, etcétera), que viviendo con ellos situaciones de peligro.

Por otra parte, hay datos que muestran que los niños que han sido separados de sus padres resultan nuevamente afectados cuando han de separarse también de las figuras de apego con las que se han vinculado. Podríamos decir que una familia que se ha roto por las separaciones es como un jarrón que se ha roto: difícilmente queda ya bien; siempre hay piezas que no acaban de encajar.

Hoy en día, ante las dificultades para la reagrupación familiar, encontramos familias con niños huérfanos de padres vivos. Si los inmigrantes que consiguen traer a sus hijos viven situaciones difíciles, es posible que apenas los puedan cuidar. Recientemente nos contaban el caso de un niño de dos años que se quedaba solo casi todo el día en un piso de Madrid porque sus padres marchaban a trabajar de sol a sol.

La soledad forzada constituye un gran sufrimiento. Se vive sobre todo de noche, cuando afloran los recuerdos, las necesidades afectivas, los miedos. De ahí que el insomnio se convierta en un síntoma relevante en el síndrome de Ulises. Además, los inmigrantes provienen de culturas en las que las relaciones familiares son mucho más estrechas que en los países occidentales y en las que las personas, desde que nacen hasta que mueren, viven en el marco de familias extensas que poseen fuertes vínculos afectivos, por lo que les resulta aún más penoso soportar en la migración este vacío afectivo. Recuerdo el caso de una mujer marroquí que me decía que nunca había estado sola en una casa.

Pocos lugares como el locutorio simbolizan mejor la imagen de este duelo que tiene que ver con los vínculos, con el dolor que producen las separaciones. En un grupo de mujeres bolivianas que estaban aquí sin sus hijos se expresaron ideas como «el locutorio: tan cerca, tan lejos», o «todo por los hijos, pero sin los hijos» (unos hijos que después a veces las rechazarán, las verán como a unas extrañas), o «lo que nos estamos perdiendo» (esos hijos a los que no ven crecer, hacerse mayores).

El duelo por la familia está vinculado al instinto del apego, tal como muestran los trabajos de John Bowlby (1969, 1980, 1985). Romperlo produce un dolor casi físico (como el que puede observarse en una granja cuando se separa a las madres de las crías y gimen desconsoladamente durante días). En neurofisiología se sabe que las áreas cerebrales vinculadas a las emociones son tanto o más importantes y numerosas en los seres humanos que las áreas relacionadas con el pensamiento y el análisis racional.

Al inmigrante también le resulta muy duro volver a encontrarse con su familia si regresa fracasado. En relación con este retorno, lamentablemente, los allegados en el país de origen son, con frecuencia, poco comprensivos con los inmigrantes; les exigen demasiado y no es extraño que incluso haya casos en los que los rechacen si vuelven con las manos vacías. Todo ello es injusto y doloroso para quien lo ha dado todo por los suyos (pasando muchas privaciones para enviar dinero a la familia y con frecuencia habiendo puesto en peligro su vida). Incluso, en algunas zonas de África, se considera que quien ha fracasado en la migración lo ha hecho porque es poseedor de algún maleficio, por lo que, si regresara, sería visto con temor, como alguien peligroso.

Muchos ayuntamientos están pidiendo impedir la reagrupación familiar por los más variados motivos, como el incivismo (por ejemplo, por una borrachera). Esta situación constituye un círculo vicioso porque, si estas personas estuvieran con sus familias, beberían menos.

Como señala Marc Schenker, de la Universidad de California Davis, los inmigrantes se preocupan tanto por sus familias, les llegan a enviar tanto dinero, que Western Union, una de las empresas de envío de divisas de los inmigrantes a sus familias, tiene en el mundo cinco veces más sucursales que McDonald's y Starbucks juntas.

En otros tiempos se podía emigrar en familia, como muestran las fotos de familias emigrando juntas que pueden verse en el Museo de la Inmigración de la isla de Ellis, en Nueva York. Antes era difícil a veces emigrar en familia; ahora numerosas leyes lo impiden explícitamente. En países como España la reagrupación familiar suele tardar unos ocho años.

Esta situación extrema no solo afecta a los que emigran, sino también a los que se quedan en el país de origen: millones de menores que se han quedado huérfanos de padres vivos, que sufren mutilación parental. Uno de los casos más extremos es el de

Chunchi, en los Andes de Ecuador, donde se han llegado a suicidar 62 niños. Muchos menores sufren explotación laboral y abusos sexuales.

El fracaso del proyecto migratorio

El segundo estresor es el sentimiento de desesperanza y fracaso que surge cuando el inmigrante no logra ni siquiera las mínimas oportunidades para salir adelante al tener dificultades de acceso a «los papeles», al mercado de trabajo, o hacerlo en condiciones de explotación. Para estas personas, que han realizado un ingente esfuerzo migratorio (deudas, riesgos físicos, etcétera), ver que no consiguen salir adelante es extremadamente penoso. Si relacionamos esta idea con lo que señalamos en el apartado anterior, se aprecia que el fracaso en soledad es aún mayor.

Aquí no solo habría que hacer referencia a los sin papeles, sino a una gran bolsa de inmigrantes en situación de semilegalidad. Se trata de personas que ayer tuvieron papeles pero que hoy los han perdido porque, por ejemplo, con la crisis económica, no han podido renovar el contrato de trabajo para proseguir la carrera de obstáculos en que se ha convertido la regularización (es necesario tener un contrato en regla al menos seis meses al año, es decir, cotizar, para conseguirla). Están también todos aquellos que tienen papeles, pero viven con el temor de perderlos (esquema 8). Su situación es tan desesperada que un inmigrante del este de Europa que perdió un brazo en los atentados de Madrid del 11 de marzo de 2004, a raíz de lo cual le permitieron la regularización, declaró que el 11-M había sido el mejor día de su vida: ¡por fin tenía los papeles!

Esquema 8. Perfil de los inmigrantes con estresores Ulises

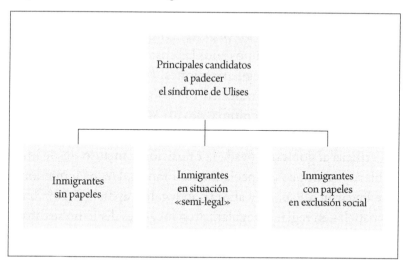

Estos inmigrantes en situación extrema son también con frecuencia víctimas de engaños y estafas laborales, como se vio en la regularización de 2005 del presidente Zapatero: posteriormente se comprobó que muchos de los contratos de trabajo con los que se regularizaron eran falsos. Además, los inmigrantes tienen una gran dependencia de los patronos para obtener trabajo, lo cual da lugar a todo tipo de abusos; por ejemplo, cobrándoles miles de euros por el contrato u obligándoles a pagarse ellos mismos la seguridad social. Otro gran problema tiene que ver con las deudas que quedan pendientes cuando les van mal las cosas y que se convierten en un problema añadido. Es el fracaso de un proyecto en el que han invertido todo: el dinero propio y muchas veces el de la familia o el clan (con intereses de usura), la salud y los mejores años de la vida.

Hace apenas veinte años, la preocupación por los papeles no era así. Recuerdo haber oído decir a inmigrantes: «No tengo tiempo de ir a sacarme los papeles; tengo demasiado trabajo». Sin embargo, en los últimos años las cosas han cambiado. En España ha habido siete regularizaciones. La primera la efectuó el gobierno de Felipe González en 1992: de 132.000 solicitudes se admitieron 108.000. La última, de casi 500.000 inmigrantes, fue la de 2005, que se efectuó en un clima de gran tensión, con fuertes críticas al gobierno desde la oposición e incluso desde otros gobiernos europeos, especialmente Francia. De los inmigrantes que llegaron a España y ahora son legales, apenas el 10% tenía los papeles en regla: se regularizaron luego; es decir, no se estructuran vías legales para la inmigración a pesar de reconocerse que es necesaria, y se obliga a los inmigrantes a vivir situaciones extremas con las consecuencias que los estresores tienen para el bienestar y la salud. Así pues, gran parte de los sufrimientos podrían haberse evitado con una planificación adecuada de las migraciones.

En Francia, la última regularización se produjo en 1998: de 130.000 solicitudes se aprobaron 90.000. En Estados Unidos, como ya hemos señalado, no ha habido ninguna desde los tiempos de Ronald Reagan en la década de 1980; allí hay más de doce millones de sin papeles, bastantes de ellos hijos a su vez de sin papeles. (Hay quien habla, usando un lenguaje políticamente incorrecto, de «segunda generación de ilegales»). Las fronteras, pues, hace tiempo que están prácticamente cerradas en los países occidentales. De todos modos, con relación a los sin papeles, en el norte de Europa estar fuera de la ley produce más tensión social que en España y el Mediterráneo, donde hay más economía sumergida y menos control (aunque cada vez son más frecuentes las redadas contra los inmigrantes en las entradas de los metros y las salidas de las escuelas).

Como decía una compañera, en la situación actual, los que tienen papeles son «los pijos» de los inmigrantes, al lado de los otros, que son una auténtica *underclass*, los nuevos Jean Valjean, «los miserables» de hoy de la novela de Victor Hugo. Para estos, ser mileuristas constituiría un sueño.

Estos inmigrantes pertenecen al grupo de los grandes perdedores de la globalización. Y no olvidemos que la situación no ha ido precisamente a mejor en los últimos años: recuerdo que cuando acudí en 1995 a la Conferencia Euromediterránea, en la que se plantearon numerosos proyectos de cooperación y desarrollo, se nos dio el dato de que la diferencia de renta entre el norte y el sur del Mediterráneo era de 10 a 1. En la actualidad, la diferencia es ya de 15 a 1... ¡Vaya éxito! La situación de estos inmigrantes es muy difícil. Pensemos que hasta los sin techo autóctonos tienen sus oportunidades, sus programas de reinserción, todos sus derechos como ciudadanos... ¿Qué oportunidades y derechos tiene un sin papeles?

Incluso el inmigrante con papeles tiene muchas trabas para encontrar empleos de calidad y se ve obligado a trabajar muchas veces en sectores que nada tienen que ver con su profesión: así, inmigrantes con todo tipo de titulaciones (abogados, maestros o ingenieros) obtienen trabajo aquí en apenas cuatro sectores: agricultura, cuidado de ancianos, servicio doméstico y construcción, porque suelen emigrar clases medias empobrecidas por la dolarización o el corralito. El que se encuentra en una situación extremadamente precaria pertenece a un grupo social que no puede pagar los miles de euros que cuesta un pasaje a Europa y es muy difícil que consiga llegar.

En este contexto de fronteras cerradas, la gente hace lo que sea para llegar aquí. Hemos visto el caso de un chico que se entrenó durante años como jugador de jockey para llegar a ser miembro de la selección de Marruecos, venir a jugar un partido y poder quedarse. Hay hasta imanes sin papeles.

Con relación a los refugiados, salvo Alemania, Suecia y unos pocos países más, la mayoría han sido tibios, cuando no han dado la espalda a acoger a los millones de refugiados que ha provocado la guerra de Siria.

Occidente es hoy un club privado con derecho de admisión. Como ha señalado Alain Touraine, antes la sociedad se dividía entre los de abajo y los de arriba; ahora, cada vez más, entre los de dentro y los de fuera del sistema.

Sueños rotos: esta es la tierra en la que sus sueños mueren. El peor naufragio es en tierra, cuando después de tantos esfuerzos no se puede salir adelante. Traen una mochila, una maleta con unos pocos enseres, pero llena hasta arriba de ilusiones. Lo que más abulta son sus sueños, los sueños de una vida mejor.

La lucha por la supervivencia

El inmigrante en situación extrema ha de luchar asimismo por su propia supervivencia, que ha sustituido a la lucha por la existencia. Destacan dos grandes áreas:

1. La alimentación. Muchas de estas personas están subalimentadas, no solo por su bajo poder adquisitivo, sino también porque envían gran parte del poco dinero que ganan a sus familiares en el país de origen (lo cual no deja de ser una muestra de

generosidad y de la intensidad de sus vínculos). El resultado es que tienden a consumir alimentos de baja calidad, con muchas grasas saturadas y bajo índice de proteínas. A esto se ha de añadir que, con frecuencia, no les es fácil reproducir en la sociedad de acogida los hábitos alimentarios saludables que tenían en la sociedad de origen. Puede haber una interrelación entre subalimentación y fatiga o cefaleas, síntomas a los que más adelante haremos referencia.

2. La vivienda. Es otro gran problema de este colectivo. Es frecuente encontrar pisos en los que se hacinan muchos inmigrantes en pésimas condiciones y a precios abusivos. Son auténticos zulos, muchas veces explotados por paisanos sin escrúpulos. Una chica rusa nos explicaba que había pasado mucho más frío en Barcelona que en su país: aquí las casas no tienen calefacción, a diferencia de lo que ocurre en Rusia. Una chica ecuatoriana nos refería que iba a la primera misa que hubiera en cualquier iglesia para entrar en calor. El hacinamiento es un factor de tensión y de estrés: se calcula que el espacio vital que necesita una persona no debe ser inferior a 15 metros cuadrados, algo que no se cumple en el caso de estas personas (tradicionalmente se ha relacionado el hacinamiento con el incremento de las conductas agresivas). El problema de la vivienda puede ser incluso peor: numerosos inmigrantes habitan en infraviviendas (viviendas a las que les faltan elementos básicos, como el techo o alguna pared), o viven en la calle, sin cobijo (al menos durante algún tiempo). Sobre ellos se escribe en *Las mil y una noches*: «El mundo es la casa de los que no tienen techo».

El terror, el miedo, la indefensión

Otros estresores son el duelo por los peligros físicos relaciona-dos con el viaje migratorio (las pateras, las yolas, los camiones); las coacciones de las mafias y las redes de prostitución; el miedo a la detención y la expulsión (según datos oficiales, en España se expulsan más de 200.000 inmigrantes al año); el miedo también a los abusos: ha habido casos de mujeres inmigrantes a las que se ha expulsado al ir a denunciar malos tratos. En definitiva, habla-mos de un colectivo que vive en situación de indefensión, una de cuyas expresiones más dramáticas son las mujeres que llegan em-barazadas tras haber sido violadas.

Se sabe que el miedo físico (la emoción más primitiva evoluti-vamente), el miedo a la pérdida de la integridad física, tiene unos efectos mucho más desestabilizadores que el miedo psicológico, ya que en las situaciones de miedo psíquico hay más posibilidades de respuesta que en las de miedo físico. A nivel biológico, sabemos que el miedo crónico e intenso fija las situaciones traumáticas me-diante la amígdala cerebral y puede dar lugar a una alteración del hipocampo. A través de un circuito, están interconectados los nú-cleos noradrenérgicos, la amígdala y la corteza prefrontal, áreas muy importantes en la vivencia de las situaciones de terror (Sandi, 2001), que quedan fuertemente memorizadas, como mecanismo de aler-ta, por si volviera a repetirse una situación de peligro similar.

El estrés crónico da lugar a una potenciación del condiciona-miento del miedo, tanto sensorial como contextual, respondiéndo-se con miedo a las situaciones de estrés futuras. Este dato es im-portante en los pacientes con síndrome de Ulises, ya que se hallan sometidos a múltiples estresores que les reactivan las situaciones de terror que han sufrido anteriormente.

El miedo es perceptible también en los niños inmigrantes cuyos padres no tienen papeles. Vemos niños asustados porque sus padres se retrasan apenas un rato en llegar a casa, ya que piensan que quizás los han deportado y se quedarán solos aquí. En este caso no estamos hablando de fantasías infantiles de abandono y persecución en el sentido kleiniano, sino de realidades bien objetivables, es decir, de auténticas situaciones traumáticas. Desde la llegada de Trump al gobierno, en Estados Unidos se han vivido situaciones terribles, con miles de niños separados forzosamente de sus padres y recluidos en instalaciones en pésimas condiciones.

Una de las situaciones de peligro más conocidas que viven los inmigrantes es la patera, aunque la mayoría llegan por otras vías. Podríamos decir que no vienen muchos en patera, pero que muchos mueren así. Otros llegan en grupos organizados, «demasiado» organizados: son recluidos en pisos, en lonjas, y viven amenazados, con documentación falsa, chantajeados por las mafias.

La asociación de amigos y familiares de las víctimas de la inmigración clandestina (AFVIC) calculaba ya en 2005 que habría habido unos 4000 muertos en el estrecho de Gibraltar desde que llegó la primera patera, y en las costas de Grecia e Italia se han contabilizado en los últimos años al menos 10.000 ahogados o desaparecidos como consecuencia de la guerra de Siria y la desestabilización de Libia. Como se ha dicho a veces, el Mediterráneo se ha convertido en una gran fosa común, en la laguna Estigia de nuestros tiempos. Recientemente, los colectivos que llegan en patera se han ampliado a inmigrantes de Latinoamérica y Asia. Situaciones de peligro se dan también en otras zonas del mundo: en América, por ejemplo, en la frontera entre México y Estados Unidos, la situación es mucho peor; se calcula que mueren al menos 1000 personas al año, aproximadamente tres al día.

El viaje en patera se hace en condiciones cada vez más penosas. Una muestra gráfica de las crecientes dificultades que viven los inmigrantes es que las primeras pateras de la década de 1990 apenas recorrían los 14 kilómetros que separan Tánger de Tarifa en el estrecho de Gibraltar; actualmente, en cambio, llegan pateras desde Senegal, a 1200 kilómetros. No hace falta tener profundos conocimientos matemáticos para comprender que la distancia se ha multiplicado de modo exponencial y con ella las penalidades y los riesgos. Muchos senegaleses que llegan en patera son consumados marineros que se han visto obligados a emigrar, dado que la pesca ha sido esquilmada por las flotas que faenan en sus costas, pero otros provienen de distintas zonas y no saben ni nadar. Su lema es Barça o Barja (Barcelona o la muerte). En el caso de las mujeres, aún es peor porque con frecuencia las obligan a ponerse en los lugares más peligrosos de la patera.

En el Mediterráneo también se ha extendido el radio tanto de procedencia como de llegada de las pateras. Llegan ya desde Argelia a Mallorca y al País Valenciano. El primer naufragio conocido de una patera de inmigrantes se produjo el 1 de noviembre de 1988, y ya ese año murieron 18 personas en Tarifa. Casi un tercio de los inmigrantes que vienen en patera padecen hipoglucemia, y el 35%, hipotermia. Muchos sufren quemaduras porque, al combinarse la gasolina con el agua del mar, se forma el tetraetilo de plomo, que produce lesiones en la piel. Cuando llegan a la costa caen al agua como fardos, ya que tienen los músculos atrofiados tras llevar varios días inmóviles. Se ha detectado un incremento de los tiburones en las zonas de naufragios. Los inmigrantes no llevan ni chalecos salvavidas porque ocupan demasiado espacio. Las pateras son tan pequeñas que ni los radares las detectan (Pardellas, 2004).

También llegan cayucos, mucho mayores. El 12 de septiembre de 2004 llegó uno a Lampedusa con 478 inmigrantes. Desde el punto de vista legal, se sabe que se detiene a las pateras en aguas internacionales, lo cual viola el derecho internacional, la ley del mar.

No siempre intervienen las mafias en la migración: en ocasiones, son cooperativas las que se hacen cargo de la construcción de la patera y el coste del viaje, pero en otros casos sí participan mafias, que amenazan y coaccionan a los inmigrantes, sobre todo con relación a las deudas contraídas para el viaje migratorio. Cuando no se posibilitan cauces para regular las necesidades, se propicia la aparición de las mafias, como en el famoso caso de la ley seca en Estados Unidos, en la década de 1920.

Como ya hemos señalado, la llegada en patera es el único momento en el que estos inmigrantes son visibles. Luego ya no volvemos a saber de ellos: se hacen invisibles. Son los nadie, como Ulises en la *Odisea*. El barco es el gran símbolo del viaje, pero ni todos iban antes en barco ni todos van ahora en patera. Sin imágenes no hay emoción, no hay movilización. De los conflictos de los que no hay imágenes, ¿quién se preocupa? ¿Quién se acuerda, por ejemplo, de Darfur, en Sudán, y de las innumerables guerras que asolan África? La visualización de un problema es importante para sensibilizarnos con él. La psicobiología muestra que los humanos somos muy visuales.

Pero no solo están las travesías por el Atlántico y el Mediterráneo: se tarda hasta dos años en cruzar el mar de arena del desierto y esto es aún peor. En el desierto han muerto aún más inmigrantes que en el mar.

A mayor cierre de fronteras (alambradas, muros), mayor riesgo para los inmigrantes, mayor endeudamiento. De todos modos, la desesperación por no poder sobrevivir en los países de origen y el apego que les lleva a querer reencontrarse con los seres queridos pueden más que el miedo. Por ello, siguen llegando.

En el modelo de las necesidades básicas de Abraham Maslow (esquema 9), uno de los modelos más relevantes de la psicología, la seguridad física es la segunda necesidad básica. Estos inmigrantes viven en peligro permanente. «No eres libre si no estás seguro», se dice en la cultura norteamericana.

Esquema 9. Pirámide de las necesidades básicas (Maslow, 1962)

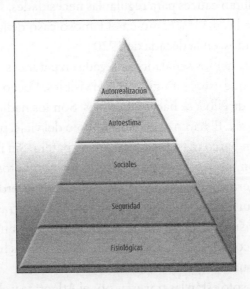

El síndrome de Ulises podría relacionarse con una forma de mobbing por parte de las sociedades de recepción de inmigrantes, a fin de acosarles, hacerles la vida imposible y lograr que desistan y se vayan.

Y sobre todo para transmitir el mensaje de que no vengan más. Para justificar el mobbing se les presenta como malos y peligrosos. Frente al «efecto llamada», el «efecto patada». Sin embargo, perversamente, se les necesita como mano de obra e interesa que vayan llegando.

Esta combinación de soledad, fracaso en el logro de los objetivos, vivencia de carencias extremas y terror sería la base psicológica y psicosocial del síndrome del inmigrante con estrés crónico y múltiple (síndrome de Ulises).

FACTORES QUE POTENCIAN LOS ESTRESORES

Los estresores que acabamos de ver están potenciados por una serie de factores (esquema 10).

Esquema 10. Factores que potencian la intensidad
de los estresores del síndrome de Ulises

1. Multiplicidad: los estresores no se suman, sino que se potencian entre sí.
2. Cronicidad: a mayor tiempo de exposición más riesgo de afectación. Efecto acumulativo.
3. Ausencia de control sobre los estresores: indefensión aprendida (Seligman, 1975), ausencia de *self-efficacy* (Bandura, 1984).
4. Intensidad y relevancia de los estresores.
5. Déficits en la red de apoyo social.
6. Vivencia del estrés aculturativo en condiciones extremas.
7. Conversión de los síntomas reactivos en estresores.
8. Inadecuada intervención del sistema sanitario y psicosocial.

Multiplicidad

No es lo mismo padecer uno que muchos estresores. Los estresores no se suman, sino que se potencian entre sí: soledad, ausencia de oportunidades, miedo, etcétera. Este aspecto se recoge en el propio nombre del cuadro: «síndrome del inmigrante con estrés crónico y múltiple», en el que el aspecto de multiplicidad de estresores es uno de los elementos definitorios. A esto se ha de añadir que, al haber muchos estresores, se incrementa la posibilidad de que el sujeto tenga vulnerabilidad a alguno de ellos —todo el mundo tiene su talón de Aquiles—, con lo que se incrementan los riesgos para la salud.

Cronicidad

No es lo mismo padecer una situación de estrés unos días o unas semanas que sufrirla durante meses o incluso años. El estrés es acumulativo. Muchos inmigrantes viven auténticas odiseas que duran años: más que tener un mal día, tienen una mala vida. Es el caso de una mujer boliviana profundamente afectada porque lleva ocho años en España sin haber podido ir a ver a sus cuatro hijos menores de edad. Está aquí sacrificándose para poder pagarles los estudios.

Ausencia de control sobre los estresores

Si una persona vive una situación de estrés, pero conoce la manera de salir de ella, reacciona de modo más sereno que cuando no ve la salida al túnel en el que se halla inmersa. En psicología, hay un experimento clásico en el que se somete a una situación de ruido intenso a dos grupos de personas: uno con la posibilidad de controlarlo cuando lo desea y el otro sin poder controlarlo. Obviamente, el grupo que puede controlar el estrés tiene menos alteraciones en la tensión arterial, la ansiedad, etcétera (Vander Zanden, 1994). En esta línea se encuentran los trabajos de Seligman sobre la indefensión aprendida (1975) y las investigaciones de Bandura sobre la autoeficacia (1984).

Intensidad y relevancia de los estresores

Lógicamente, hacemos referencia a estresores límite, a un estrés crónico, múltiple y extremo. No es lo mismo el estrés de un atasco de tráfico o de unos exámenes (que son algunos de los estresores que suelen estudiarse en los medios académicos) que la soledad forzada, los peligros para la integridad física y la indefensión, estresores de una gran relevancia emocional y con una intensidad que no ha hecho sino incrementarse. Es cierto que hoy llegan menos inmigrantes, pero los que llegan lo hacen en peores condiciones, y los que se encuentran aquí también están peor, tanto los que no han logrado la regularización como los que tenían papeles y los han perdido por la crisis.

En relación con el duelo por la familia que se vive en la migración en situación límite, nos hallamos ante un duelo extremo. Hay tres tipos de duelo:

1. Duelo simple: se emigra sin dejar atrás ni hijos pequeños, ni padres enfermos, y puede visitarse a los familiares.
2. Duelo complicado: se emigra dejando atrás hijos pequeños y padres enfermos, pero es posible ir a verlos e incluso traerlos.
3. Duelo extremo: se emigra dejando atrás la familia, especialmente cuando en el país de origen quedan hijos pequeños

y padres enfermos, y no hay posibilidad de ir a verlos ni de traerlos. Este es el caso del síndrome de Ulises.

Déficits en la red de apoyo social

¿Qué organismos se hacen cargo de las necesidades básicas de los inmigrantes en situación extrema? Dado que estas personas no existen a nivel legal, hay muchas más dificultades para que puedan ser sujetos de ayudas (J. A. Cebrián *et al.*, 2000). Por otra parte, a mayor cronicidad de una problemática, menor mantenimiento de las redes de apoyo. De todos modos, tal como han señalado J. Aguilar (2003) y E. Gómez Mango (2003), estas personas son, en realidad, más viajeros que inmigrantes, porque en la situación en la que se encuentran aún no han acabado de llegar a la sociedad de acogida, todavía no han entrado a formar parte de la nueva sociedad. No se les ha permitido instalarse; siguen de viaje, como Ulises.

En psicología social se sabe que, al disminuir las relaciones sociales y el capital social (Coleman, 1984), aumentan la infelicidad y la morbilidad. No obstante, hay grupos con más redes de apoyo social que otros, como es el caso de los orientales (pakistaníes, chinos).

Vivencia del estrés aculturativo en condiciones extremas

A los estresores señalados hay que añadir los estresores clásicos de la migración: el cambio de lengua, de cultura y de paisaje, magníficamente estudiados desde la perspectiva del duelo migratorio por Francisco Calvo (1970), Jorge Tizón *et al.* (1993), y León y Rebeca Grinberg (1994), entre otros. Estos duelos clásicos de la migración siguen estando ahí y son muy importantes para el bienestar psicológico, pero en la migración actual han quedado relegados a un segundo plano por los nuevos estresores límite, de supervivencia. La preocupación básica de los inmigrantes en situación extrema no es si les gusta más el cuscús que la fabada, o los Andes que los Pirineos, sino sobrevivir física y mentalmente a esa situación.

Los duelos clásicos de la migración tampoco pueden elaborarse adecuadamente en estas condiciones, ya que son duelos extremos. En este contexto, como ejemplo de la nueva situación, un inmigrante al que preguntábamos acerca del aprendizaje de la nueva lengua nos decía: «Mire, doctor, cuando se vive escondido, en el trabajo clandestino, se habla muy poco, ¿sabe usted?». No es fácil responder cuando te dicen algo así.

Conversión de los síntomas reactivos en estresores

El círculo se cierra si además la persona comienza a tener una serie de síntomas, como ocurre al padecer el síndrome de Ulises, y las fuerzas para seguir luchando empiezan a fallarle. En este caso, se está inmerso en un terrible círculo vicioso. Estas personas tienen la salud como uno de sus capitales básicos y comienzan a perderla. Tanto estrés acaba pasando factura, lo cual es incluso perceptible en el hecho de que con frecuencia envejecen prematuramente (esquema 11).

Esquema 11. La pesadilla de los estresores que viven
los inmigrantes

Un inmigrante con estresores Ulises vive una de las peores pesadillas imaginables:

— Estar en peligro.
— Estar solo.
— No tener medios para luchar.
— No ver salida a su situación.
— Encontrarse mal.
— Pedir ayuda y que no te entiendan.
— Pedir ayuda y que no te la den.

Pero es peor aún porque no es una pesadilla.
Es la realidad que viven estas personas.

Seguro que hay pesadillas más terribles, aunque nos falta imaginación para describirlas. Es un estrés cuasi experimental.

En nuestro trabajo en salud mental con población inmigrante desde la década de 1980, no habíamos visto nunca las situaciones de estrés límite que hemos visto en los últimos años.

La inadecuada intervención del sistema sanitario y psicosocial

Y por si tantas adversidades y peligros no fueran suficientes, entonces, para acabarlo de arreglar, intervenimos nosotros, a veces inadecuadamente (me refiero al sistema sanitario y asistencial). Así pues, a la larga cadena de dificultades que padecen estos inmigrantes se ha de añadir, por desgracia, una más: quienes deberíamos ayudarles no siempre les atendemos correctamente, por lo que podemos convertirnos en un nuevo estresor.

Hay profesionales que por prejuicios, por desconocimiento de la realidad de los inmigrantes, incluso por racismo, banalizan la problemática en salud mental de estas personas. En conferencias y debates he oído comentarios del tipo «no es para tanto», «pues que no hubieran venido» o «yo estuve quince días estudiando en Alemania y sé lo que es eso de estar en otro país». Esto tampoco es tan sorprendente si vemos que las propias organizaciones internacionales de salud y derechos humanos carecen de programas de salud mental para los inmigrantes, y algunas de ellas se preocupan más de la repatriación que del apoyo a estas personas.

Otras veces, esta sintomatología es erróneamente diagnosticada como:

- Trastorno depresivo (solo por tener tristeza).
- Trastorno psicótico (por los síntomas confusionales o porque no se comprenden los aspectos culturales vinculados a la sintomatología).
- Enfermedades orgánicas (dados los síntomas psicosomáticos que presentan).

El inmigrante recibe tratamientos inadecuados y hasta dañinos, y es sometido a todo tipo de pruebas, incluso cruentas y con efectos secundarios (aparte del innecesario gasto sanitario que conllevan y que redunda en menor disponibilidad de recursos para el conjunto de pacientes, aunque este aspecto es secundario respecto a los otros señalados). Hemos visto casos de adolescentes inmigrantes conflictivos que son tratados con neurolépticos para controlar su rebeldía y sus protestas.

Como nos decía un africano, «para nosotros el sistema sanitario está más del lado de nuestros problemas que del lado de las soluciones a nuestros problemas». Veremos más adelante el caso de Alexis, un inmigrante con síndrome de Ulises, procedente de una antigua república soviética, que ante sus quejas psicosomáticas fue sometido a una colonoscopia y a una biopsia hepática. A los inmigrantes, que son gente joven y sana, se les realizan el doble de exploraciones complementarias que a los autóctonos, según un estudio de 2006 del Hospital Clínico de Barcelona.

Sintomatología
del síndrome de Ulises

> A mí el mal de ojo no me lo ha echado el brujo ni el he-
> chicero. A mí el mal de ojo me lo han echado las leyes
> que tienen ustedes en este país.
>
> Un africano

El síndrome del inmigrante con estrés crónico y múltiple se basa en dos pilares:

1. Una combinación de estresores, que ya hemos analizado.
2. El padecimiento de una serie de síntomas reactivos a las situaciones de estrés, que no son sino un intento de adaptación a unas condiciones extremas (esquema 12).

Esquema 12. Sintomatología del síndrome de Ulises

- Síntomas del área depresiva

- Síntomas del área de la ansiedad

- Síntomas del área confusional

- Síntomas del área psicosomática

- Interpretación cultural de la sintomatología

Esta sintomatología es muy variada y corresponde a diversas áreas del funcionamiento psicológico. Es muy importante prestar atención a los síntomas que expresa el inmigrante, ya que existe el riesgo de confundir el síndrome de Ulises con la depresión, el trastorno adaptativo, etcétera.

Sintomatología del área depresiva

Con relación al área depresiva, en el síndrome de Ulises están presentes, fundamentalmente, la tristeza y el llanto. Sin embargo, lo más relevante es lo que falta, razón por la cual considero que este cuadro no pertenece al campo de los trastornos depresivos. Desde la perspectiva de la psicopatología clásica europea (Jaspers, 1946), faltan síntomas definitorios de la depresión, como la apatía, los pensamientos de muerte, la culpa, la pérdida de la actividad social y laboral, la anhedonia y la inhibición psicomotriz.

Tristeza

La tristeza expresa el sentimiento de fracaso del inmigrante ante los duelos extremos a los que debe hacer frente.

Fenomenológicamente, esta tristeza no es la del paciente con un trastorno depresivo, ni la del paciente melancólico. El inmigrante con síndrome de Ulises es una persona caída, pero no vencida. No toda forma de tristeza es depresión.

Tal como señalan los trabajos que realizó Ekman en la década de 1970, la expresión de esa tristeza es universal, al igual que la expresión facial de las emociones básicas, por lo que es perceptible en la anamnesis de personas de cualquier cultura. No obstante, este mismo autor señala que en algunos casos —como en la cultura japonesa y en la iraní— es más difícil de valorar, ya que en estas sociedades se considera que no sonreír es una descortesía, por lo que en la vida social suele ocultarse la expresión facial de tristeza, algo que no ocurre en las relaciones personales.

No es difícil entender que una persona que padece tantas adversidades no esté precisamente muy animada.

Llanto

En las situaciones límite lloran tanto los varones como las mujeres, a pesar de que aquellos han sido educados en el control del llanto en casi todas las civilizaciones (en la tradición islámica el llanto no está bien visto ni en hombres ni en mujeres, y el dolor suele expresarse más en forma de gemidos).

La interpretación de que el llanto se dé tanto en hombres como en mujeres radicaría en que, ante una situación límite, incluso las barreras de tipo cultural quedarían en segundo lugar. Una expresión de la dificultad de los hombres de estas culturas para aceptar el llanto sería la afirmación eufemística de que les sale agua por los ojos o que lloran por dentro.

El llanto da lugar a una secreción de adrenalina y noradrenalina, neurotransmisores asociados a la lucha, a la acción. Los estudios antropológicos señalan que esta es la razón por la cual, en la mayoría de las culturas, se educa a los hombres en la idea de que el llanto es impropio de su condición, porque se busca que mantengan un alto nivel de acción y lucha.

Para la fisiología, el llanto es una excreción similar a la micción y proporciona placer físico; al llorar desviamos la atención hacia nuestras sensaciones corporales (Lutz, 2001). Darwin, por su parte, considera que la función del llanto es enfriar los ojos sobrecalentados por la emoción e hinchados de sangre.

Llorar relaja y la gente se siente mejor. Se cuenta la anécdota de un médico al que una señora le decía: «Doctor, no me diga esas cosas que se me quitan las ganas de llorar».

En el marco de las situaciones extremas de los inmigrantes que conforman el síndrome de Ulises, una mujer nos explicaba un sueño persistente: estaba en una playa con sus hijas pequeñas, que residen en América y de las que lleva años separada, y se despertaba llorando.

Según la perspectiva evolucionista, el llanto es un mensaje de petición de ayuda y una señal de que no se va a atacar, de que el sujeto no será agresivo.

Vingerhoets *et al.* (2007), tras realizar un metaanálisis, concluyeron que no existe relación directa entre el llanto y la enfermedad depresiva. Al contrario, es frecuente que el depresivo exprese que no puede llorar. Para Lutz, el llanto es una conducta dirigida a un fin y el depresivo ya no tiene objetivos: no llora porque ha renunciado a toda esperanza de que sus deseos se cumplan. Los niños abandonados, al cabo de un tiempo, ya no lloran. ¿Para qué?

Desde el punto de vista diagnóstico, el llanto es un signo, algo observable, a diferencia de la tristeza y la ansiedad, que son síntomas, es decir, malestares subjetivos, más difícilmente valorables.

Se considera que llorar es un rasgo exclusivamente humano. Tal como señala Lutz, no se ha comprobado el llanto en otras especies, aunque hay un debate abierto sobre si los elefantes constituyen una excepción.

Apatía

Estos inmigrantes quieren seguir adelante y mantener el nivel de actividad de un sujeto sano, a pesar de que lo están pasando mal. Por tanto, la tristeza se combina con la esperanza, con la determinación de seguir luchando.

Pensamientos de muerte

A pesar de la gravedad de los factores estresantes, estos pensamientos no son frecuentes ni relevantes en los inmigrantes. En general, el inmigrante posee una gran capacidad de lucha, de resiliencia, que le hace querer ir hacia delante incluso en contextos muy adversos. Pueden tener sentimientos de tristeza, pero conservan la esperanza y unos intensos vínculos afectivos que les impulsan a desear seguir viviendo. Una ecuatoriana nos decía: «Pero ¿cómo voy a tener pensamientos de muerte con dos hijos pequeños esperándome en América?». Esta persona estaba llena de sentimientos de vida, de «instinto de vida», en la terminología kleiniana.

Un factor que protege de modo muy significativo al inmigrante de estos pensamientos es la intensidad de sus sentimientos religiosos. En este punto, hemos hallado una gran similitud entre los inmigrantes de religión cristiana y los de religión musulmana. La importancia de los sentimientos religiosos integrados en la personalidad, como factor positivo en la salud mental, han sido enfatizados por los trabajos de J. Font (1999).

Culpa

Se expresa con menor frecuencia e intensidad en las culturas no occidentales, en las que no se considera al ser humano como el centro del mundo, sino como alguien que forma parte del conjunto de la naturaleza. Desde la perspectiva de Melanie Klein (1957), podríamos decir que en las culturas tradicionales se daría más una culpa de tipo paranoide, ligada al temor al castigo. En este tipo de culpa, la persona no está preocupada por el daño que ha infligido al otro, por el mal que ha causado, sino que está afectada fundamentalmente por el miedo al castigo que teme recibir por su acción inadecuada. En la culpa depresiva, el sentimiento básico es el sufrimiento por haber hecho daño al otro, el remordimiento, la pena por el mal que se ha causado.

Se da el doble de sentimiento de culpa en los pacientes depresivos occidentales que en los pacientes de otras culturas. Los pakistaníes que atendemos nos miran asombrados (a veces hasta sonríen) cuando les preguntamos si tienen sentimientos de culpa. Es evidente que cuando alguien hace todo lo que puede no está obligado a más.

Sintomatología del área de la ansiedad

Entre los síntomas del área de la ansiedad destacan las preocupaciones recurrentes por los graves problemas que padecen los inmigrantes (soledad, exclusión, miedo, indefensión). Estas preocupaciones se relacionan con los numerosos y difíciles problemas con los que han de enfrentarse y a los que se asocia un enorme cúmulo de sentimientos contrapuestos que cuesta integrar. Se requiere una gran capacidad de *insight* para entender tantas emociones y más aún en soledad. El inmigrante ha de tomar muchas y graves decisiones, a veces en muy poco tiempo y con escasos medios de análisis, lo cual conlleva una enorme tensión. Como decía muy gráficamente un paciente: «Es como si tuviera la centrifugadora trabajando todo el día dentro de la cabeza».

Estas preocupaciones favorecen la aparición del insomnio, ya que para conciliar el sueño se precisa un estado de relajación. En todo caso, resultan proporcionales a la magnitud de los problemas que padecen estas personas. No deben confundirse con las ideaciones de tipo obsesivo, en las que el paciente se ve invadido por pensamientos absurdos no deseados que intenta infructuosamente rechazar, o con los recuerdos traumáticos que desestructuran y bloquean la mente del paciente con trastorno por estrés postraumático.

Tensión, nerviosismo

Son síntomas frecuentes que expresan el enorme esfuerzo que supone afrontar las adversidades que conlleva emigrar en estas condiciones, con tantos estresores. Estos síntomas se relacionan con el estrés que ocasiona la intensidad de la lucha e indican que el sujeto confía en que vale la pena estar activo para resolver los problemas que se le presentan (aunque este tipo de funcionamiento del área de la ansiedad se combina en otros momentos con la tristeza por los fracasos en el logro de los objetivos, tal como hemos visto en el apartado referente a los síntomas del área de la depresión).

Irritabilidad

No es un síntoma tan frecuente como los anteriores. Tiende a expresarse con menor intensidad en inmigrantes procedentes de culturas orientales, que han recibido una educación en la que se enfatiza el control de las emociones, puesto que consideran que expresar abiertamente una emoción es una forma de coaccionar a los otros. (En este sentido, la cultura occidental es una de las más asertivas). La irritabilidad se ve más en adolescentes, sobre todo en las bandas juveniles.

Sintomatología del área confusional

En nuestra experiencia, esta sintomatología suele ser de menor entidad que la que hemos visto anteriormente. Se expresa mediante dificultades de concentración, problemas de memoria, desorientación temporal y espacial, despersonalización, etcétera.

Estos pacientes hacen comentarios muy expresivos: «No sé si voy o vengo», «no sé lo que quiero, pero lo quiero ya», «estoy como borracho, como drogado». Reflejan también el sentimiento de «tierra extraña» de las canciones de Juanito Valderrama, de las migraciones españolas de la segunda mitad del siglo pasado.

Desde una perspectiva cultural, se ha de tener en cuenta que en los inmigrantes que proceden de países en los que ha habido más control sobre los ciudadanos, como los del antiguo bloque soviético, se ve más sintomatología de tipo paranoide que de tipo confusional.

La confusión se incrementa por los intentos que efectúa a veces el inmigrante de no recordar, de tomar distancia, ante lo dolorosos que le resultan los recuerdos. En la *Odisea*, los hombres de Ulises tomaban loto, una sustancia que hacía olvidar el recuerdo de los seres queridos y las preocupaciones. Pero instalarse en el país del olvido favorece la confusión.

No es fácil evaluar los síntomas confusionales de un modo transcultural: recordemos que algunas civilizaciones tienen una

idea del tiempo más circular que lineal. Otro ejemplo de las dificultades culturales que se pueden dar en la exploración de estos
síntomas es la despersonalización, difícil de valorar en cosmovisio-
nes que poseen otra imagen del yo, del sujeto, como las orientales,
en las que las terapias se plantean «contra el yo».

La perspectiva psicoanalítica (M. Klein, 1957) relaciona la confusión con el frecuente uso de la defensa de la negación en situaciones extremas, en un intento desesperado por evitar el sufrimiento
que supone contactar con situaciones dolorosas. Para evitar hacerlo, la mente se fragmenta, como un espejo roto en mil pedazos en el
que ya no se ve ninguna imagen, de modo que se elude el contacto con la realidad penosa. Pero, obviamente, cuando no se ve nada
reina la confusión.

Desde el punto de vista biológico, la confusión que aparece
en las situaciones de estrés crónico se explica de otro modo: el incremento de cortisol que se produce actuaría sobre el hipocampo
y las áreas corticales (Sandi, 2001).

Otro factor que favorece la confusión es que en la migración
en situación extrema es frecuente la existencia de mentiras, medias
mentiras o fabulaciones en las relaciones familiares. El inmigrante
apenas explica la verdad a los suyos para que no sufran por él, y sus
familias también se guardan de explicarle los problemas que van
surgiendo en el país de origen. Al final, todo ello potencia la confusión y la desconfianza. Hubo un magnífico anuncio de promoción
del Atlético de Madrid en el que un inmigrante latinoamericano iba
explicando lo estupendo que era este club (que entonces estaba en
segunda división y en plena crisis) comparándolo con lo confor-
table de su situación en España, mientras se iban viendo imágenes
de cómo vivía en realidad: un pequeño cuarto, un trabajo durísi-
mo, la soledad, etcétera.

Con relación a la problemática de salud mental de los inmigrantes, no solo el paciente está confuso; también lo están con frecuencia el psiquiatra, el psicólogo, el profesional sanitario..., y a veces aún más que aquellos. Es fácil confundir con psicosis y otros trastornos estos cuadros tan complejos —en cuya expresión se asocian además los aspectos culturales—, e intervenir inadecuadamente. Existe un amplio acuerdo entre los profesionales en que se da un sobrediagnóstico de psicosis en inmigrantes.

Otro aspecto de interés es cómo afecta el contacto virtual, a través del teléfono e internet, a la salud mental de los inmigrantes. En una investigación que se está realizando con la Universitat Oberta de Catalunya, dirigida por Adela Ros, estamos evaluando el impacto de las nuevas tecnologías en la vida de los inmigrantes; en mi caso, si se incrementan los elementos de confusión a través de las relaciones virtuales.

La confusión podría estar también ligada a tener que esconderse, hacerse invisibles, para no ser detenidos (en definitiva, el famoso episodio de la *Odisea* en el que Ulises le dice a Polifemo que su nombre es Nadie). Así, no es infrecuente encontrar casos de menores que han pasado por numerosos centros tutelados, en cada uno de los cuales dan un nombre diferente. ¿Cuál es el verdadero? Al final, quizás ya ni ellos lo sepan.

Sintomatología del área psicosomática

En la mayoría de las culturas de origen de los inmigrantes se considera que la mente y el cuerpo no están separados: lo mental y lo físico se expresan de modo combinado, es decir, los síntomas psicológicos y los síntomas somáticos se expresan asociados. No se trata, por tanto, de pacientes alexitímicos o psicosomáticos que rehúyan lo emocional, a pesar de la expresión somatizada de la sintomatología.

Entre los síntomas relacionados con el área de la somatización, destaca sobre todo la tríada compuesta por el insomnio, la cefalea y la fatiga. También son frecuentes otras somatizaciones, especialmente las de tipo osteomuscular. En menor porcentaje se hallarían las molestias abdominales y en grado aún menor las torácicas.

Las molestias osteomusculares se explican en relación con las contracturas y los espasmos musculares que surgen como respuesta a las situaciones de estrés, ya que existe una tendencia a percibir la situación estresante como peligrosa y el sujeto se prepara para la acción en forma de lucha o huida activando el sistema muscular. Si la intensa activación del sistema muscular se convierte en crónica, suele acabar generando dolor e incluso lesiones. Estas contracturas son más intensas en la espalda y las articulaciones, o, como dicen gráficamente algunos hispanoamericanos, en «las coyunturas».

La explicación del psicoanálisis a la tendencia a la somatización de los inmigrantes es que en la elaboración del duelo migratorio es frecuente la utilización de la defensa de la formación reactiva (hacer lo contrario del impulso en relación con el deseo de mantener la lengua y la cultura del país de origen). La asimilación y la hiperadaptación favorecen la somatización, ya que el inmigrante expresa a nivel somático, y no psicológico, las tensiones relacionadas con la elaboración del duelo migratorio, al ser esta forma de expresión más aceptada socialmente, menos conflictiva. La tendencia a la hiperadaptación se ve con frecuencia en los menores inmigrantes, que deben comportarse de modo ejemplar para evitar ser atacados con clichés racistas: han de ser estudiosos, amables y respetuosos, cuando de los niños autóctonos se espera simplemente que se comporten como niños.

Insomnio

Las preocupaciones recurrentes e intrusivas dificultan el sueño. Para el inmigrante, la noche es el momento más duro a nivel psicológico: afloran los recuerdos, y se percibe con toda su crueldad la soledad, el alejamiento de los seres queridos y la magnitud de los problemas a los que debe hacer frente. No hay estímulos externos que puedan distraer a la persona de sus preocupaciones y del recuerdo de los seres queridos lejanos. Además, se pone en marcha la ansiedad de anticipación, que favorece que el inmigrante que comienza a tener problemas para dormir asocie el momento de irse a la cama con una situación de tensión y no se relaje lo suficiente para poder conciliar el sueño; de ese modo, se va instaurando el insomnio, con lo que se crea un círculo vicioso, un condicionamiento.

A nivel biológico, el insomnio puede explicarse en el sentido de que el incremento de catecolaminas y glucocorticoides a que da lugar el estrés crónico favorece el arousal, la excitación que impide la relajación necesaria para poder dormirse.

El insomnio de los inmigrantes se agrava además por las pésimas condiciones de las viviendas en las que habitan: ambientes húmedos, excesivamente calurosos en verano y fríos en invierno, existencia de ruidos, mala ventilación, etcétera. Todo esto cuando no están simplemente en la calle, claro. Entonces se ha de añadir el miedo a los robos o a las agresiones. La noche en la calle es insegura. Por ejemplo, en 2002, en Almería, un grupo de inmigrantes que se guarecía en la estación de autobuses fue atacado por grupos xenófobos, con el resultado de un muerto y varios heridos.

Cefalea (in-migraña)

Es uno de los síntomas característicos del síndrome de Ulises, ya que se da en una proporción claramente superior a la de los autóctonos. En un estudio que hicimos (Achotegui, Lahoz, Marxen y Espeso, 2005), mostrábamos que el 76,7% de los pacientes con el síndrome padecían cefaleas. En jóvenes autóctonos de esa edad el porcentaje no llega al 10%. No es necesario poseer altos conocimientos de estadística para ver que esta diferencia es significativa.

Las cefaleas que se ven en los inmigrantes se asocian a la intensidad de las preocupaciones en las que se hallan sumidos. Las molestias se concentran con frecuencia en la zona frontal y en las sienes. Desde una perspectiva psicoanalítica, estarían vinculadas a:

1. La agresividad reprimida (Benedetti, 2010), tan frecuente en el inmigrante dadas las grandes frustraciones que padece. Cuando se les pregunta cómo es el dolor de cabeza que sienten, nos dicen: «Es como si tuviera una bomba en la cabeza a punto de explotar» o «es como si me estuvieran taladrando el cerebro».
2. La utilización de la defensa de la negación, relacionada con la inhibición dolorosa del acto de pensar (P. Marty, 1963). Es muy frecuente en el duelo migratorio extremo, al resultarles más soportable el dolor de cabeza que seguir pensando en tantos problemas y adversidades. Nos explican que notan la cabeza hueca, vacía.

Hasta tal punto la cefalea es un síntoma frecuente en los inmigrantes que atiendo que, para ir más rápido, al escribir la denomino «in-migraña», migraña del inmigrante (Achotegui, 2007). No deja de sorprender que las dos palabras, «migración» y «migraña», provengan de la misma raíz, «migra», y que se asocien de manera tan relevante en la clínica de los inmigrantes.

La cefalea es un síntoma escasamente tenido en cuenta en la clínica (aunque sin duda hay honrosas excepciones), en parte porque se da con mayor frecuencia en la mujer, cuyo sufrimiento se discrimina. Además, la cefalea, a pesar de ser uno de los síntomas que más hacen sufrir a los pacientes y de los que más se quejan, continúa siendo una especie de pariente pobre de la neurología y la psiquiatría. Para los neurólogos es poca cosa comparada con los ictus y las demencias, y para los psiquiatras tampoco tiene la importancia que se da a otros síntomas más «llamativos», como los delirios o las alucinaciones. Creo que esta desconsideración hacia la cefalea es una muestra más de lo poco que escuchamos a los pacientes. Tenemos nuestro propio discurso pregrabado y somos poco receptivos a lo que tenemos delante.

Precisamente el estudio de la cefalea estuvo en los orígenes del planteamiento del síndrome de Ulises, ya que en el SAPPIR, al observar que no cuadraban los diagnósticos con la realidad clínica, me quedé asombrado cuando, al analizar por síntomas —no por diagnósticos— la clínica de los casos que visitábamos, salió que el síntoma más común de los inmigrantes era la cefalea. Este dato constituyó uno de los puntos de arranque del concepto del síndrome de Ulises, ya que me corroboró que los diagnósticos estándar que se aplicaban a los inmigrantes no eran operativos en las situaciones de estrés crónico. A partir de aquí se planteó el estudio de los síntomas de modo independiente y a continuación, al analizar cómo se agrupaban, se pudo ver que se asociaban de modo específico en este cuadro diferenciado que es el síndrome de Ulises.

Como decía don Quijote, «si te duele la cabeza... te duele todo el cuerpo».

Fatiga

La energía está ligada a la motivación. Cuando una persona, durante largo tiempo, no ve salida a su situación, hay una tendencia a que disminuyan las fuerzas, ya que no encuentra utilidad a seguir luchando. De todos modos, se ha de señalar que en el síndrome de Ulises, a pesar de la fatiga, el inmigrante sigue adelante. Si estas personas trabajan en condiciones muy duras, de explotación, no es extraño que estén muy cansadas.

Es evidente que, si se quejan sobre todo de falta de energía e intenso cansancio, difícilmente pueden presentar episodios maníacos, difícilmente pueden ser diagnosticados de trastorno bipolar. El cansancio estaría relacionado con otros síntomas ya descritos, como el insomnio y la cefalea. «Estoy como una pasa», nos decía un ecuatoriano.

Otros síntomas

En ocasiones hemos observado termorregulación y vasodilatación de la piel. A veces sufren golpes de calor. Alexis, uno de los casos que comentamos en la última parte, nos decía que siempre tenía la cara roja.

También hemos tenido referencia de inmigrantes que han fallecido de muerte súbita. Dado que no hemos podido estudiar directamente ningún caso, nos hallamos limitados en nuestra posibilidad de análisis, pero está descrito a nivel médico que el estrés límite y el miedo pueden provocar la muerte.

Otra alteración de tipo psicosomático relacionada con el estrés es la hipertensión. Los afroamericanos tienen una mayor tendencia a sufrir este trastorno, característica que se ha relacionado con el hecho de que descienden de los supervivientes de los esclavos de los barcos negreros. Estos esclavos aguantaron las travesías porque tenían una gran capacidad de retención de sal, lo cual les resultó muy beneficioso para resistir el terrible viaje hasta América, pero ha legado a sus descendientes su predisposición a la hipertensión arterial. En el caso de los africanos que llegan a las costas españolas en patera tras sobrevivir a largas travesías y que padecen hipertensión, se podría plantear la misma hipótesis con relación a si poseen una mayor capacidad de retención de sal.

Tal como hemos señalado, los síntomas somáticos se potencian unos a otros: el insomnio favorece la cefalea y la fatiga, y la tristeza baja el umbral del dolor.

Dicho esto, hay que resaltar la importancia de hacer siempre un diagnóstico minucioso. Sabemos, por ejemplo, que un pequeño porcentaje de las cefaleas que atendemos pueden estar relacionadas con un tumor cerebral o una enfermedad médica (poco frecuente en la población inmigrante joven). Pero eso no debe llevarnos a tener que efectuar a toda la población con cefaleas una punción lumbar o una tomografía (que produce una radiación acumulativa equivalente a mil exploraciones con rayos X, es decir, radiaciones tóxicas que permanecen toda la vida en el sujeto). Se trata, pues, de un diagnóstico complejo que requiere una formación adecuada por parte del profesional.

Interpretación cultural de la sintomatología

A esta sintomatología se añade en bastantes casos una interpretación basada en la propia cultura del sujeto. Así, es frecuente oír decir: «No puede ser que me vayan tan mal las cosas, que tenga tan mala suerte» o «a mí me han tenido que echar el mal de ojo, me han hecho brujería». De todos modos, un africano al que le preguntamos acerca de la magia nos dijo: «A mí el mal de ojo no me lo ha echado el brujo ni el hechicero. A mí el mal de ojo me lo han echado las leyes que tienen ustedes en este país». Esto quiere decir que los inmigrantes diferencian perfectamente los aspectos culturales de los sociales.

Hemos atendido muchos casos de personas que interpretaban sus síntomas como castigos por incumplir normas sociales de sus grupos de pertenencia: haber rechazado casarse con una prima designada por la familia, no haber ayudado a parientes en dificultades o no haber honrado debidamente a los antepasados. En la medicina tradicional se considera que quien ha ofendido a alguien o ha infringido una norma del grupo puede ser víctima de la brujería por parte de las personas que se han sentido ofendidas y debe compensar con una serie de rituales el daño que ha causado.

El psicoanálisis relaciona la magia con la omnipotencia del pensamiento. Freud, en *Tótem y tabú*, plantea que la magia se halla ligada a funcionamientos de tipo obsesivo y maníaco como respuesta primitiva a la ansiedad. Desde la perspectiva psicoantropológica, es muy interesante el planteamiento de la psicogenealogía, que hace referencia a la importancia de los antepasados con relación a los mitos familiares con los que se identifica el niño y que moldean su personalidad y sus expectativas vitales. No es lo mismo llamarse Moisés o Ruth que Vanesa o Marilyn.

Con frecuencia, pues, el inmigrante interpreta, de acuerdo con la cultura tradicional de su país de origen, los síntomas relacionados con los duelos extremos que vive en la migración. Y esta interpretación de la sintomatología desde la perspectiva de la hechicería y la magia conllevará que la intervención psicológica deba tener en cuenta la cosmovisión del paciente, obligando al terapeuta occidental a «descentrarse» culturalmente a la hora de efectuar la intervención terapéutica. Es muy importante acercarse a estas vivencias del paciente con respeto y empatía.

Sin embargo, no es fácil explorar las creencias mágicas, porque estas personas se sienten rechazadas por la cultura autóctona y con frecuencia esconden este tipo de vivencias. Una buena forma de acercarse a estos temas sería preguntarles si creen que han tenido mala suerte, ya que este planteamiento es más neutro, más universal. A partir de este punto es posible continuar el diálogo y profundizar en el tema.

El chamán ejerce su oficio en los dos mundos: el real y el sobrenatural. El chamanismo es universal; está presente en todas las tradiciones culturales estudiadas. En la cultura tradicional marroquí se considera que los diablos van por las cañerías de agua, por lo que se ha de echar leche por las tuberías al llegar a una nueva casa. En España son de destacar los trabajos de Caro Baroja y Joan Amades, que recogieron numerosas creencias sobre la brujería y el mal de ojo. La brujería, tan perseguida en Europa, fue mucho más tolerada en la cultura árabe, que no padeció la lacra de la Inquisición. De todos modos, se ha de tener en cuenta que la magia y la brujería no son temas propios de lejanas culturas, ya que hoy en día, en las sociedades occidentales, facturan casi tanto como la psicología y la psiquiatría juntas, y están muy presentes en los medios de comunicación.

Los temas relacionados con la magia constituyen el eje de los planteamientos de las corrientes culturalistas, de la etnopsiquiatría. En mi opinión, son muy relevantes, pero, en la elaboración del duelo migratorio entre los inmigrantes del siglo XXI, pesan más los problemas sociales extremos que padecen que los problemas de tipo cultural, tal como hemos recogido en la frase del inmigrante que decía que el mal de ojo se lo echaban las leyes de este país.

Con relación a los aspectos culturales de la sintomatología, los trabajos de Gailly (1991) muestran cómo la cultura canaliza la expresión de los síntomas, señalando que existirían variantes culturales de ellos, como las molestias torácicas en árabes, las molestias abdominales en africanos y la sintomatología relacionada con la sexualidad en asiáticos.

De todos modos, no deben sobredimensionarse los factores culturales, porque, si se considera que la persona está indefectiblemente marcada por pertenecer a una determinada cultura, ¿qué diferencia existe entre este concepto de cultura y el concepto de raza?

QUINTA PARTE

DIAGNÓSTICO DIFERENCIAL DEL SÍNDROME DE ULISES CON LOS TRASTORNOS MENTALES

Un aspecto muy importante de la delimitación clínica de un cuadro es su diferenciación con otras problemáticas del área de la salud mental y con otros cuadros de la psicopatología con los que posee elementos en común o que le son próximos. Sin embargo, los sistemas de clasificación que poseemos actualmente en las ciencias de la salud mental son claramente deficientes para gran parte de los profesionales, y existen apasionadas polémicas acerca de la ubicación de la mayoría de los cuadros clínicos. Obviamente, el síndrome del inmigrante con estrés crónico y múltiple no constituye una excepción a esta situación.

Con respecto al diagnóstico diferencial más elemental, es evidente que el cuadro no tendría nada que ver con el trastorno por estrés agudo porque su característica definitoria (va en el nombre) es que el síndrome del inmigrante con estrés crónico y múltiple es crónico. Tampoco se trataría de un cuadro de duelo, según el DSM-V, porque tampoco tiene que ver con la elaboración de la muerte de un ser querido.

Ya hemos señalado que existe una relación directa, causal, entre el enorme estrés que viven estos inmigrantes sin papeles en el siglo XXI y su sintomatología. El síndrome de Ulises se daría en personas sanas que viven situaciones extremas y se encuentra en el límite entre la salud mental y la enfermedad.

Diagnóstico diferencial
con los trastornos depresivos

Como ya hemos señalado al describir el síndrome de Ulises, aunque hay sintomatología del área depresiva, faltan una serie de síntomas básicos, cardinales, de los trastornos depresivos. La sintomatología depresiva presente en el cuadro es, ante todo, tristeza y llanto. Fenomenológicamente, no es la tristeza de un cuadro depresivo típico: más que la tristeza del depresivo en el sentido clínico, es la tristeza de un duelo extremo, de un pesar intenso, en la línea de la desolación, magníficamente descrita por san Ignacio de Loyola (Font, 1996).

Faltan síntomas muy importantes para el diagnóstico de un trastorno depresivo, como la apatía, ya que es consustancial con el concepto mismo de depresión el hecho de que la persona no tenga motivación para seguir adelante. Los inmigrantes quieren hacer cosas, están deseosos de luchar pero no ven el camino (y no porque deformen la realidad). En el episodio depresivo, como describe textualmente el DSM-V, «casi siempre hay pérdida de intereses». Para que la tristeza sea considerada patológica, ha de impedir el funcionamiento adaptativo del sujeto. Si estos inmigrantes encontraran un trabajo a 20 kilómetros, saldrían inmediatamente corriendo hacia allí, serían capaces de ir adonde hiciera falta. Se admitirá sin problemas que esta conducta es extremadamente atípica; es más, constituye un auténtico oxímoron (contradicción en los términos) en alguien al que se diagnostica como enfermo depresivo.

Esquema 13. Diagnóstico diferencial del síndrome de Ulises
con los trastornos depresivos

Ausencia de:

— Apatía: al contrario, son proactivos.
— Pensamientos de muerte: al contrario, tienen mucho instinto de vida.
— Inhibición psicomotriz.

Mantenimiento de la autoestima.

Mantenimiento de la actividad social y laboral.

Tristeza fenomenológicamente diferente: más en la línea de la desolación descrita por Ignacio de Loyola.

Hamilton de depresión y de ansiedad negativo.

Curso del trastorno: mejora ostensiblemente al disminuir los estresores.

Tampoco se dan pensamientos de muerte ni inhibición psicomotriz. Estas personas están llenas de pensamientos de vida, no de muerte. Piensan en sus hijos, en su familia. El DSM-V señala que en la depresión «son frecuentes los pensamientos de muerte». El depresivo ya no lucha. Tal como señala Freud en *Duelo y melancolía*, el duelo se parece a la depresión, pero en él se mantiene la autoimagen, la autoestima; el sujeto no se derrumba. El síndrome de Ulises es un duelo de tipo extremo, no un trastorno depresivo.

En 1960 se diagnosticaba de depresión al 0,05% de la población; en 2008, al 10%. Las previsiones hablan de un 20% o más en 2025. ¿Tan malos eran los psiquiatras de hace unos años? ¿Tanto hemos empeorado en tan poco tiempo? Hoy en día comienza a ser frecuente que casi todo el mundo que visita al médico salga con un par de diagnósticos bajo el brazo. Parecen las rebajas, en las que uno siempre acaba llevándose algo.

Otro diagnóstico diferencial muy interesante sería con un cuadro denominado «la depresión tardía del inmigrante». Son casos en los que el trastorno depresivo aparece muchos años después de la migración, con frecuencia tras haber vivido el sujeto situaciones muy difíciles. Ante este cuadro se plantea la hipótesis etiopatogénica de que está relacionado con graves dificultades en la elaboración del duelo migratorio, a las que se añaden otros duelos que aparecen en la vida del sujeto. (Obviamente, la migración no es el único acontecimiento relevante en la vida de una persona, pero suele desempeñar un papel importante). En estos casos, puede establecerse una relación entre la clínica depresiva y las dificultades en la elaboración del duelo migratorio. La vulnerabilidad a la enfermedad mental de estos pacientes suele ser elevada, aunque haya tardado en manifestarse. Es como el derrumbe de un edificio que se encontraba en mal estado sin que esta situación fuera muy perceptible, hasta que un día se cae de golpe.

Hemos visto muy pocos casos de trastorno bipolar en los inmigrantes con estresores Ulises. La explicación sería que, dado que están exhaustos física y mentalmente, agotados por la lucha ante tantas adversidades, no tienen «la energía» necesaria para desarrollar un episodio maníaco.

Además, en estos casos de síndrome de Ulises, cuando aplicamos las clásicas pruebas psiquiátricas de evaluación de la depresión o de los trastornos de ansiedad, como el Hamilton, vemos que son negativas. Que no toda tristeza es depresión se halla magníficamente reflejado en la literatura; por ejemplo, en el magnífico libro de Neruda *Veinte poemas de amor y una canción desesperada*, cuando dice: «Puedo escribir los versos más tristes esta noche».

En este sentido, es muy interesante el libro *The loss of sadness*, de Allan V. Horwitz y Jerome C. Wakefield (2007), en el que señalan cómo estamos perdiendo el sentimiento humano de tristeza, desvirtuándolo y convirtiéndolo en un mero síntoma patológico, en sinónimo de enfermedad. Estamos convirtiendo toda tristeza en enfermedad mental Y la tristeza es un elemento muy importante de nuestro patrimonio cultural, básico en la literatura, la música y el arte. Pío Baroja, en *Las inquietudes de Shanti Andía*, escribía: «A veces siento un tipo de tristeza tan especial, que creo que sería muy desgraciado si no pudiera sentirla nunca más». No toda tristeza ha de ser eliminada y considerada perniciosa. Robert Burton, en *Anatomía de la melancolía*, de 1621, describe 88 tipos de tristeza. Cinco siglos después, con tantos adelantos científicos, ¿hemos pasado a tener un único tipo de tristeza y la consideramos patológica?

La tristeza está en la poesía, como muestran estos bellos versos de Antonio Machado:

> Una balada en otoño,
> un canto triste de melancolía
> que nace al morir el día.
> Una balada en otoño,
> a veces como un murmullo,
> y a veces como un lamento
> y a veces viento.
> Te podría contar
> que está quemándose mi último leño en el hogar,
> que soy muy pobre hoy,
> que por una sonrisa doy

todo lo que soy,
porque estoy solo
y tengo miedo.

El filósofo norteamericano Richard Rorty escribió: «Sin tristeza no hay compasión ni solidaridad, que son el fundamento de los Derechos Humanos». Si nos quitan la tristeza, el día que la tristeza desaparezca, ese día ya no seremos humanos, seremos otra cosa.

Como señalan Horwitz y Wakefield (2007) y Allen Frances —que presidió el equipo que redactó el DSM-IV—, el DSM-V, al diagnosticar por síntomas sin tener apenas en cuenta el contexto, no discrimina entre duelo y depresión. El concepto de síndrome de Ulises coincide con los planteamientos de estos autores.

Diagnóstico diferencial
con los trastornos adaptativos

Podemos analizar la diferencia desde dos perspectivas:

1. Con relación a los estresores, el DSM-V señala que los tras-
    tornos adaptativos se caracterizan por «un malestar superior
    al esperable, dada la naturaleza del estresor identificable». En
    el caso de los inmigrantes con síndrome de Ulises, en primer
    lugar no habría un estresor, sino muchos, y además estos es-
    tresores se caracterizan por poseer una dimensión fenome-
    nológica radicalmente diferente: lucha por la supervivencia,
    terror, etcétera. Es decir, estamos haciendo referencia a unos
    estresores de gran intensidad y de otra dimensión cualitativa.
    En nuestra opinión, hay una clara diferenciación entre el tras-
    torno adaptativo y el síndrome de Ulises, ya que el malestar de
    los inmigrantes que viven estos estresores límite es todo me-
    nos «superior al esperable». Es más normal sentirse mal en
    dichas circunstancias, cuando todo falla alrededor, que ser in-
    sensibles a lo que se vive y encontrarse «como si nada». En
    el trastorno adaptativo, el sujeto se toma sus problemas a la
    tremenda; en el síndrome de Ulises, los problemas son tre-
    mendos y el sujeto se los toma como son: como algo tremen-
    do. Diagnosticar estos cuadros como trastorno adaptativo es
    psiquiatrizar: se considera que el sujeto está fallando en su
    respuesta ante el estresor, algo que no es cierto, ya que las ad-

versidades que vive, plenamente objetivables, superan la capacidad humana de adaptación. En nuestra opinión, la situación de estrés crónico y múltiple que hemos descrito en los inmigrantes no formaría parte de los trastornos adaptativos: el estrés que padecen va más allá de lo adaptativo. Cuando una persona no tiene papeles, ni acceso al trabajo, ni contacto con los seres queridos, ¡qué más quisiera que poder adaptarse! Por desgracia, no tienen medios para superar los problemas a los que se enfrentan.

2. Mientras que en el trastorno adaptativo se da «un deterioro significativo de la actividad social o laboral», en el síndrome de Ulises el sujeto mantiene su actividad. Por tanto, el síndrome de Ulises no se corresponde con los criterios DSM de trastorno adaptativo. Para poder diagnosticar patología psiquiátrica, ha de haber unos síntomas invalidantes (por discapacidad, por intenso sufrimiento o por ambos) y estructurados en el tiempo, que imposibiliten la adaptación del sujeto. El individuo sano aguanta el estrés solo con un cuadro reactivo de estrés, no cayendo en el trastorno mental. No todos los que estuvieron en la guerra enfermaron a pesar de vivir estresores extremos. Si la naturaleza humana fuera tan débil que la mayoría de la población hubiera enfermado ante el cúmulo de terribles adversidades que han tenido que soportar nuestros antepasados, hace tiempo que nuestra especie habría desaparecido del mapa. De todos modos, sí existe un continuum entre el síndrome de Ulises, el trastorno adaptativo y los trastornos mentales. Hay un punto en el que los síntomas «se pasan de rosca» y se convierten en patológicos, impidiendo la adaptación del sujeto. No es fácil delimitar dónde se encuentra ese punto. En relación con la intensidad de los estresores, es cierto que en nuestra sociedad

también hay otros colectivos en situación de exclusión, como los sin techo autóctonos, pero hay una gran diferencia entre ellos y los inmigrantes con estresores Ulises: sin ir más lejos, los sin techo autóctonos son ciudadanos de pleno derecho y tienen acceso a oportunidades, algo que no se da en el caso de los inmigrantes sin papeles.

Esquema 14. Diagnóstico diferencial del síndrome de Ulises con los trastornos adaptativos

---

— El trastorno adaptativo es «un malestar superior al esperable, dada la naturaleza del estresor identificable» (DSM-V). El síndrome de Ulises es una respuesta natural ante un gran número de estresores inhumanos.

— En el trastorno adaptativo, la persona se toma un acontecimiento vital a la tremenda. En el síndrome de Ulises, la persona se toma una situación tremenda tal como es: como algo tremendo.

— El DSM-V señala que en el trastorno adaptativo se da «un deterioro significativo de la actividad social o laboral», algo que no ocurre en el síndrome de Ulises.

— Muchos autores consideran que el trastorno adaptativo se enmarca en el área de los trastornos depresivos como una forma menor de depresión (posee una de las más elevadas correlaciones con el suicidio, mayor que en la psicosis).

Autores como Beiser (1996) han hecho referencia a la existencia de un trastorno adaptativo específico de los inmigrantes. Este planteamiento puede ser cierto para los inmigrantes con vulnerabilidad que llegan con papeles y se les permite la reagrupación familiar, tienen oportunidades, les funciona el ascensor social y desarrollan este trastorno, pero la situación de la mayoría de los inmigrantes extracomunitarios del siglo XXI es muy diferente y mucho más dramática, por lo que, desde la perspectiva de los estresores, no encajaría en este diagnóstico. En la línea de los trabajos de Beiser se hallarían los planteamientos realizados en la década de 1960 denominados «Trastornos de desarraigo en el inmigrante», pero, en nuestra opinión, ni cuantitativa ni cualitativamente pueden compararse con el estrés que sufren en la actualidad muchos inmigrantes extracomunitarios. Además, el trastorno adaptativo, tal como la palabra «trastorno» indica, pertenece al área de la psicopatología; el síndrome de Ulises, por el contrario, no es un trastorno mental. Por tanto, no coinciden ni estresores ni síntomas.

Diagnóstico diferencial con el trastorno por estrés postraumático

Según el DSM-V, «la característica esencial del trastorno por estrés postraumático es la aparición de síntomas característicos que siguen a la exposición de un acontecimiento estresante y extremadamente traumático, y donde el individuo se ve envuelto en hechos que representan un peligro real para su vida o cualquier otra amenaza para su integridad física». Sin embargo, en el síndrome de Ulises:

1. No se dan síntomas esenciales del diagnóstico del trastorno por estrés postraumático, como las conductas de evitación y los pensamientos intrusivos de las situaciones traumáticas. Tampoco hay apatía, ni baja autoestima.
2. Se da el estresor miedo, terror, al igual que en el trastorno por estrés postraumático, pero los inmigrantes con síndrome de Ulises tienen además otros muchos estresores extremos, como la soledad forzada y la lucha por la supervivencia.

Por tanto, la parte común al trastorno por estrés postraumático proviene de un estresor importante: la respuesta al miedo, pero la respuesta sintomatológica es diferente.

Esquema 15. Diagnóstico diferencial del síndrome de Ulises
con el trastorno por estrés postraumático

Hay una parte común con relación al estresor miedo, terror.

Hay marcadas diferencias respecto a la sintomatología, ya que en el PTSD:

— Hay apatía.
— Hay conductas de evitación y pensamientos intrusivos desestructurantes sobre las situaciones traumáticas vividas.
— La autoestima es baja.
— La depresión es el trastorno con el que se correlaciona más (Kessler, 1995).

En el trastorno por estrés postraumático no se dan los demás estresores del síndrome de Ulises: soledad, fracaso, lucha por la supervivencia.

Ha habido una utilización abusiva del diagnóstico del trastorno por estrés postraumático. En la década de 1990, en la guerra de Yugoslavia, se llegó a considerar que este trastorno afectaba a casi media población de la zona, incluso a gente que solo había conocido la violencia por referencias.

Como muestra de la importancia de la vulnerabilidad en relación con la aparición del trastorno mental, señalaremos que tan solo el 20% de las personas que viven situaciones traumáticas llegan a desarrollar un trastorno por estrés postraumático. Los casos de síndrome de Ulises estarían ubicados en el 80% restante. Conocemos casos de inmigrantes que han repetido el viaje en patera, incluso más de una vez, y no han sido víctimas de ningún tipo de conducta evitativa ni de sintomatología postraumática.

Existe el riesgo de añadir un plus al dolor que padecen los inmigrantes y refugiados: el estigma de que sufren masivamente trastornos mentales, sobre todo en relación con el sobrediagnóstico como trastorno por estrés postraumático de las situaciones que han vivido.

Hay una gran polémica en torno al origen de la introducción del diagnóstico de trastorno por estrés postraumático, un cuadro del que se habla con frecuencia en los medios de comunicación de manera poco contrastada y que para muchos investigadores está fuertemente sobrediagnosticado.

Ya la propia historia de cómo surge el diagnóstico del trastorno por estrés postraumático en el DSM es clarificadora, pues se introduce en las clasificaciones psiquiátricas tras la guerra de Vietnam por la enorme presión de las poderosas asociaciones de veteranos de guerra que, al regresar a Estados Unidos, buscan tener más ayudas económicas y beneficios sociales del gobierno. Dado que a los lisiados de guerra, a los mutilados y afectados por lesiones físicas, se les concedían ingentes ayudas económicas, ¿por qué no plantear un área de subsidio más amplia? ¿El dolor psíquico? En todo caso, un equivalente a nivel psiquiátrico.

Como señala Chris R. Brewin (2003), profesor del University College of London, en su libro *El trastorno por estrés postraumático, ¿mito o realidad?*, este diagnóstico no surge de la investigación, no es ningún descubrimiento científico, sino que se incorpora al DSM fruto de las presiones de grupos de intereses. Este autor considera el trastorno por estrés postraumático un constructo cultural y político.

Incluso desde posiciones contrarias a la guerra de Vietnam, se apoyó la introducción de este nuevo trastorno por razones no científicas, ya que, dada la impopularidad de la guerra, hubo profesionales que utilizaron el diagnóstico de este trastorno como medio para evitar que los soldados volvieran a ella.

Así, el trastorno se inscribe en 1980 en el DSM-III por presiones de grupos sociales, sin estudios de campo que lo avalen. En palabras de Brewin, se convierte en trastorno mental algo que con frecuencia forma parte de la reacción normal ante las situaciones traumáticas y que la mayoría de las personas son capaces de elaborar.

Las relaciones entre el trauma y los trastornos mentales lo habían estudiado magistralmente el psicoanálisis y la psicopatología clásica. En Estados Unidos, los problemas psicológicos relacionados con los traumas están descritos desde la guerra civil americana en el siglo XIX. En 1889, Hermann Oppenheim introduce el concepto de neurosis traumática. Freud, en *Estudios sobre la histeria* y *Cinco conferencias sobre psicoanálisis*, asocia la psicopatología relacionada con el trauma al impulso a la repetición (Laplanche y Pontalis, 1997). También Abram Kardiner, psicoanalista norteamericano con gran experiencia en tratar a soldados en la segunda guerra mundial, desarrolló los planteamientos freudianos. En su libro *The traumatic neuroses of war*, de 1941, relaciona las afecciones producidas por los traumas con la hipervigilancia y las somatizaciones.

En cuanto a estudios de campo, en 1906 Eduard Stierlin investigó en Messina a los mineros víctimas de accidentes y observó que en el 25% de los afectados se producían alteraciones psicológicas. En Catalunya, Emili Mira, en su obra *Psiquiatría en guerra*, de 1944, considera que la neurosis traumática surge del conflicto entre el miedo que vive el soldado y el sentido del deber, quedando relegado el conflicto a nivel inconsciente.

Actualmente, siguiendo los criterios del DSM, se considera que el trastorno por estrés postraumático se da en torno al 8% de la población general, un porcentaje muy superior al de la esquizofrenia y similar al de la depresión, por lo que se entiende que constituiría un importante nicho de mercado para la industria farmacéutica.

Alteración de las reglas de diagnóstico

Con los criterios de diagnóstico que utiliza para el trastorno por estrés postraumático, el DSM altera su regla de oro de no diagnosticar por etiología sino por síntomas. Aquí los redactores del DSM se saltan a la torera sus propias normas, mostrando una vez más que los diagnósticos psiquiátricos, lamentablemente, pecan de falta de rigor y se llevan a cabo adaptándose a las circunstancias, en este caso a las presiones de los poderosos colectivos de veteranos de guerra de Estados Unidos. Como ya hemos señalado, el ejemplo paradigmático de la falta de rigor en la clasificación del DSM es la presión que ejercieron las asociaciones de gays y lesbianas, que rodearon la reunión del comité del DSM-III en Chicago. Ante la imposibilidad de salir del recinto si no descatalogaban la homosexualidad como trastorno mental, los miembros del comité lo aceptaron y pudieron irse a sus casas tranquilamente. Mejor no pensar qué ocurriría en el caso de que grupos de paidofílicos rodearan la convención del DSM.

Todo esto muestra que la psicopatología está aún lejos de tener una especie de tablas de Mendeléiev, basadas en sólidos criterios teóricos para clasificar los trastornos, unas tablas que en el caso de la química no se han movido desde el siglo XIX, que provienen de los tiempos del zarismo, que continuaron inamovibles con Lenin y Stalin en el comunismo, y que ahora siguen con el putinismo. El DSM ha ido aumentando el número de trastornos de una edición a otra, adaptándose a las presiones y las modas. El DSM-I, redactado en 1952, tenía 109 trastornos. El DSM-V, redactado en 2014, tiene ya 396 trastornos.

Con el trastorno por estrés postraumático, el DSM-V no solo viola su regla de oro de no diagnosticar por etiología —el gran argumento para desestimar las aportaciones del psicoanálisis, por ejemplo—, sino que pone este trastorno en el centro de su modelo de clasificación, lo eleva a categoría de referente conceptual. El trastorno por estrés postraumático no es un trastorno más: el DSM lo ha convertido en una de sus 22 grandes categorías de clasificación, en igualdad de condiciones con los trastornos depresivos, los trastornos de ansiedad o los disociativos.

Errores clínicos

Con relación al sobrediagnóstico del trastorno por estrés postraumático, se pueden plantear las siguientes objeciones:

1. Desde el punto de vista clínico, constituye una enorme simplificación considerar que todo trauma ha de dar lugar a un único trastorno, en este caso el trastorno por estrés postraumático. El estrés, el duelo y los traumas pueden producir una gran diversidad de trastornos mentales. En la clínica es frecuente ver cómo tras una situación traumática aparece un trastorno depresivo, obsesivo o paranoide, o bien adicciones.

2. La duración de la afectación por la situación traumática ha de ser superior a un mes (DSM-V). Es normal, y hasta de sentido común, que una persona que ha vivido una situación traumática necesite más de un mes para superarla, sin que esto signifique que padece un trastorno mental. Con estos criterios, la vía a la psiquiatrización es regia.

3. En Estados Unidos ha sido tal el «furor diagnóstico» con relación al trastorno por estrés postraumático que, como señala J. Paris (2015), tras los atentados del 11-S se diagnosticó el trastorno hasta a personas que los vieron por la tele, sentados cómodamente en el sofá de su casa. Se ha cuantificado en el 0,3% el número de afectados por esta vivencia traumática de contemplar en la tele los atentados (Brewin, 2003).

4. Se considera que cualquier trauma pasado, incluso olvidado, puede dar lugar a un trastorno por estrés postraumático. Ha habido una gran tendencia a buscar insistentemente traumas infantiles y, como la memoria es muy poco objetiva, no es difícil que en personas vulnerables los recuerdos sean poco fiables.

5. Para padecer el trastorno por estrés postraumático, cualquier trauma o adversidad vale, no hay ninguna singularidad.

Es decir, podemos ver que hay una tendencia a confundir trauma con trastorno, y factor de riesgo (el trauma) con causa. Se ha de tener en cuenta que en el modelo estrés-diátesis (persona) nunca un solo factor determina la aparición de un trastorno.
El riesgo de este sobrediagnóstico sería:

1. Tratar a personas que no tienen ningún trastorno, con todos los costes y efectos secundarios que ello comporta, principalmente el uso de psicofármacos.

2. Victimizar a las personas que han vivido situaciones traumáticas, dificultándoles reaccionar psicológicamente y poner en marcha sus capacidades de afrontamiento.

Nuestra experiencia en el SAPPIR con inmigrantes que en muchos casos han vivido situaciones extremas nos muestra que el trastorno por estrés postraumático no es una patología tan relevante como se ha querido señalar.

Riesgos del sobrediagnóstico

Las exitosas campañas de promoción de este trastorno por las asociaciones de veteranos de guerra han logrado en Estados Unidos que el diagnóstico del trastorno crezca de modo casi exponencial, tras impresionantes campañas de *marketing*, incluso en la prensa, entre las que destacan la del *New York Times* (Brewin, 2003). Sin embargo, años después de esta masiva promoción del trastorno, existe en Estados Unidos una gran inquietud a causa de los efectos a los que ha dado lugar.

Tras todas estas campañas, la situación de los veteranos de guerra, masivamente diagnosticados como enfermos de trastorno por estrés postraumático, es muy negativa, muy problemática, lo cual ha generado un gran debate.

La pregunta que se hace es por qué los veteranos de la segunda guerra mundial, que vivieron todas las atrocidades del nazismo, se recuperaron sin apenas problemas de los traumas de la guerra y lograron integrarse sin dificultades relevantes en la sociedad americana. Ahora, sin embargo, los veteranos de guerra son un colectivo lleno de problemas y con graves dificultades de integración.

Para algunos autores, la causa es la masiva profusión del diagnóstico de trastorno por estrés postraumático, que ha estigmatizado a los que vuelven de la guerra y los ha convertido, a los ojos de la población, en enfermos, en «locos» peligrosos y violentos. Todo esto ha supuesto su aislamiento, que no se les contrate, que se les tema. Lógicamente, este rechazo incrementa su frustración, su rabia, su desadaptación, su falta de integración. Uno de los mejores ejemplos, a nivel cinematográfico, es el personaje de Rambo, boina verde, soldado de élite en la guerra de Vietnam, que no se adapta a vivir en la sociedad tras regresar a Estados Unidos.

El sobrediagnóstico se da no solo en el marco de la creciente psiquiatrización de la vida cotidiana, sino a veces en un intento de enfatizar la gravedad de los problemas para buscar ayuda y recursos. Lo cierto es que la psiquiatrización del dolor de los refugiados tiene consecuencias muy negativas.

Como señala M. Kédia (2008) en su revisión de la temática del trauma y la psicopatología, numerosos metaanálisis muestran que no más del 20% de las personas que viven situaciones traumáticas desarrollan trastornos mentales, entre ellos el trastorno por estrés postraumático.

De todos modos, que la mayoría de los inmigrantes que han vivido situaciones traumáticas no padezcan este trastorno no quiere decir que no precisen apoyo. Es normal que alguien que ha vivido un trauma lo reviva en algún momento durante algún tiempo, mientras se va elaborando y disipando, pero eso no quiere decir que padezca un trastorno mental. La larga historia evolutiva y la selección natural habrían proporcionado a la mayoría de la población una capacidad para elaborar bien las situaciones traumáticas.

Los estudios evolucionistas muestran que los humanos descendemos de antecesores que han sobrevivido a una gran cantidad de peligros y adversidades, por lo que tenemos una gran resiliencia, una gran capacidad natural para resistir las situaciones traumáticas. Por lo tanto, urge una revisión de esta temática, no vaya a ser que, hablando de situaciones traumáticas, «nos salga el tiro por la culata».

Diagnóstico diferencial
con la psicosis

También es muy interesante el diagnóstico diferencial del síndrome de Ulises con trastornos como las psicosis, especialmente las psicosis reactivas. Para ello hay que tener en cuenta lo siguiente:

1. A pesar de la existencia de ciertos síntomas del área confusional (relacionados con las situaciones estresantes que viven), estos no son lo suficientemente intensos como para impedir la adaptación social y laboral del sujeto, ni el contacto con la realidad, que es el concepto clave para el diagnóstico diferencial de la psicosis, siguiendo la diferenciación de la psicopatología clásica entre neurosis y psicosis.

2. No debe desdeñarse el aspecto cultural, ya que el profesional de la salud mental poco entrenado puede no diferenciar adecuadamente aspectos culturales de la expresión del sufrimiento del inmigrante con sintomatología de tipo psicótico. Con frecuencia se requiere un buen asesoramiento acerca de la cultura del inmigrante para poder diferenciar los aspectos culturales, compartidos por toda su comunidad, de los síntomas de tipo psicótico. He visto casos de conductas que parecían muy «floridas» desde el punto de vista cultural y que, sin embargo, los familiares y mediadores decían que eran extravagantes y extrañas con relación a su propia cultura. En este caso, para-

dójicamente, quizás tiene más confusión muchas veces el psiquiatra o el psicólogo que el paciente. Podríamos entender mejor esta situación si la planteáramos a la inversa, es decir, si un psiquiatra o psicólogo asiático o africano atendiera a un español que dijera que se le aparece cada noche el demonio con rabo y cuernos. De entrada, el colega foráneo podría considerar que estas vistosas apariciones del maligno responden a conductas ligadas a aspectos culturales de Occidente. Obviamente, ningún psiquiatra o psicólogo de aquí dudaría de que se encuentra ante un psicótico de libro.

3. Como muestra de la intensidad del duelo que viven estos inmigrantes en situación extrema, no es extraño escuchar relatos, especialmente de mujeres, que explican que a veces les parece oír la voz de sus hijos. Este tipo de alucinaciones ya fueron estudiadas por Bowlby (1985) con relación a las personas en duelo por la muerte de seres queridos. Este autor señaló muy acertadamente que no podían considerarse patológicas, sino una expresión de la elaboración normal del duelo, que es muy intenso en los seres humanos (en el cerebro tienen más relevancia las áreas vinculadas a las emociones que las áreas vinculadas al funcionamiento racional).

De todos modos, en estas situaciones extremas que describimos se dan descompensaciones psicóticas y no solo el síndrome de Ulises. Como señalan los datos recogidos en hospitales de Barcelona (Casas, 2005), suelen darse con frecuencia psicosis de tipo paranoide, que no resultan tan incomprensibles teniendo en cuenta la persecución que viven muchos inmigrantes. El planteamiento de que los trastornos de tipo paranoide son frecuentes en los inmigrantes ha sido un tema clásico en los estudios sobre migración y psicopatología: incluso se ha señalado que las personalidades paranoides tienen más tendencia a emigrar (Ødegaard, 1932). También se ven cuadros psicóticos de tipo confusional.

Desgraciadamente, el inmigrante psicótico, «loco», es alguien doblemente extraño, doblemente extranjero.

EL INFRADIAGNÓSTICO
DEL ALCOHOLISMO

Nos encontramos con la gran paradoja de que mientras que muchos inmigrantes que no están enfermos, que tienen el cuadro reactivo de estrés del síndrome de Ulises, son diagnosticados de padecer trastornos depresivos, trastornos adaptativos o trastornos por estrés postraumático, otros muchos, que están realmente enfermos, no son diagnosticados como tales porque se considera que beber de modo patológico es una característica cultural y no una adicción, un trastorno mental. El DSM-V clasifica en dos grandes trastornos la adicción al alcohol: el trastorno por dependencia del alcohol y el trastorno por abuso del alcohol, ambos muy relevantes entre los inmigrantes y que son infravalorados. Además, en las situaciones de fuerte estrés migratorio (con soledad, indefensión, etcétera), el riesgo de las adicciones se multiplica y, por tanto, es muy importante trabajar en su prevención.

El alcoholismo es además un grave problema social. Conocemos muy bien las dramáticas consecuencias que conlleva: por ejemplo, violencia de género, rupturas familiares, abusos sexuales y accidentes laborales y de tráfico (el alcohol está involucrado en más del 50% de los accidentes de tráfico).

Figura 5. Señal de tráfico en Latinoamérica.

En muchas culturas, entre ellas la hispana, el alcoholismo constituye un grave problema sanitario y social. Incluso en la cultura musulmana, el alcoholismo es un importante problema social
porque el islam es mucho más tolerante con la prohibición de tomar alcohol que, por ejemplo, con comer cerdo, animal considerado radicalmente impuro, tóxico. Como señala el escritor egipcio
Nabuda: «Voy a tomarme aquella aspirinita que yo me sé», y todos ríen.

No es infrecuente escuchar chistes sobre el tema contados por
los pacientes: «Voy de bar en peor» o «soy alcohólico-apostóli-
co-romano». La vida «sin» no se entiende. Hay bar hasta en los
tanatorios.

La mayoría de los orientales están menos afectados por el
alcoholismo porque tienen una variante genética denominada

ALDH22 que da lugar a un acetaldehído deshidrogenasa poco potente que apenas convierte el metabolito del alcohol acetaldehído en acetato. Y el acetaldehído es treinta veces más tóxico que el alcohol: con una copa se ponen malos.

Sexta parte

Análisis de casos

DESCRIPCIÓN DE CASOS DE INMIGRANTES CON SÍNDROME DE ULISES

Alexis

Alexis proviene de Adjasia, una antigua república soviética, donde había sido director de la orquesta nacional. Es un músico reconocido: compuso el himno del país. Tiene cuarenta años. Acude a visitarse porque está triste y nervioso. Tiene insomnio, palpitaciones, molestias digestivas (le han hecho biopsias y tomografías sin encontrarle ninguna lesión), molestias osteomusculares y fatiga. A veces se le pone la cara muy roja y le cuesta concentrarse. Cuando vivía en su país se encontraba bien: su vida había sido buena y plácida.

Lleva un año en Barcelona. Tuvo que marcharse de su país a consecuencia de la inestabilidad política. Salió de Adjasia bajo la amenaza de que si no se iba matarían a su hija de cuatro años. Allí dejó también a su mujer. Se acuerda mucho de las dos; su sueño sería poder traerlas. El viaje a España lo hizo en autobús y duró varios días. En la estación de Berlín, la mafia rusa le rodeó y le robó todo el dinero que llevaba. Está aquí solo, sin papeles, sin trabajo y sin vivienda. No puede regresar ni traer a su familia. No obstante, sigue luchando: ha contactado con músicos de Barcelona y canta en una coral de música clásica. Quiere dar clases de música.

Sus estresores son extremos y sus síntomas no son compatibles con los criterios de trastorno mental. Es un hombre sano muy estresado, no un enfermo mental: mantiene el nivel de actividad social (busca un empleo y trabaja en lo que puede) y no tiene apatía, solo deseos de vivir y de estar con su familia. Nunca he podido evitar asociar la imagen de Alexis con la de Ulises. Él también tiene algo de príncipe destronado: de ser director de la orquesta nacional de su país ha pasado a luchar por la supervivencia en las calles de Barcelona. No ve salida a su situación, pero mantiene viva la lucha por salir adelante.

Juan

Juan es un ecuatoriano de 28 años que llegó a Barcelona hace dos años. Procede de una familia muy unida. Su sintomatología es tristeza, llanto, ansiedad, pensamientos recurrentes sobre sus problemas, cefaleas e insomnio. No tiene apatía ni ideas de muerte. Ha dejado dos hijos de seis y cuatro años en Ecuador y se lamenta de no saber cuándo los volverá a ver. Trabaja en negro en la construcción, un trabajo de riesgo, peligroso; se ha caído dos veces. Ha cambiado varias veces de domicilio porque con lo poco que gana y lo que envía a su familia no puede pagar a veces un alojamiento. Además, ha de saldar una gran deuda por el viaje a España. No ve salida a su situación. Estuvo detenido 15 días por no tener papeles y a punto de ser expulsado. Si vuelve a su país sin el dinero que debe teme que le maten.

El caso de Juan es un típico ejemplo de síndrome del inmigrante con estrés crónico y múltiple (síndrome de Ulises). Es una persona sana, fuerte, sin ningún tipo de vulnerabilidad detectable, pero afectado por estresores inhumanos. Ante su situación, desarrolla un cuadro reactivo de estrés, no una enfermedad mental.

En él podemos apreciar los estresores característicos del síndrome de Ulises: la separación forzada de los seres queridos que supone una ruptura del instinto del apego, el sentimiento de desesperanza por el fracaso del proyecto migratorio, la lucha por la supervivencia (dónde alimentarse, dónde encontrar un techo para dormir), las amenazas de las mafias, el miedo a la detención y la expulsión, etcétera.

Idrissi

Idrissi tiene 26 años y proviene de Senegal, donde era pescador. Llegó en patera tras cuatro días de navegación desde Mauritania y explica que no le afectó mucho el viaje porque estaba acostumbrado al mar. Está casado y tiene una hija de cinco años. Lleva dos años en España sin papeles. Trabaja de mantero: debe correr cada vez que ve llegar a la policía. Me muestra una herida que se hizo un día corriendo para escapar. Vive en el piso de un compatriota que le ayuda.

Tiene insomnio y cefalea; irritabilidad no. Está triste y no deja de pensar en cómo conseguir los papeles. Sufre molestias digestivas, pero no le han encontrado nada en las exploraciones que le han hecho.

Se trata de otro caso típico del síndrome de Ulises, con estresores extremos y síntomas que no son los de un trastorno mental.

Descripción de casos de inmigrantes con trastornos mentales

Pedro: trastorno obsesivo-compulsivo

Pedro tiene 36 años y llegó a España hace tres años procedente de Ecuador. Su mujer y sus tres hijos, de quince, seis y tres años, están en su país. No tiene papeles y trabaja en la construcción en la provincia de Tarragona. Trabaja escondido y pasa muchos días aislado en zonas alejadas por temor a ser identificado y expulsado. Esta vida le ha resultado muy dura, pero se ha ido sobreponiendo como podía con el deseo de poder enviar dinero a su familia.

Acude a visitarse porque lleva unas semanas muy angustiado: no puede juntar dos ladrillos con argamasa porque piensa que si lo hace le ocurrirá una gran desgracia a su familia; sus padres morirán. Todo comenzó un día cuando, mientras trabajaba, le asaltó esa terrible idea. Se quedó paralizado de horror y la angustia le impidió seguir trabajando.

Estamos ante un caso de inmigrante con estresores Ulises pero que desarrolla un trastorno mental, en este caso un trastorno obsesivo-compulsivo. La sintomatología no es la del síndrome de Ulises, sino la de una enfermedad.

Este caso es un claro ejemplo de psicopatología de la migración: el estrés migratorio extremo desempeña un papel desencadenante en la aparición del trastorno.

Luis Alfonso: trastorno adaptativo

Luis Alfonso tiene 24 años y es argentino, de padres españoles. Lleva dos años en Barcelona. Como la situación estaba mal económicamente en Argentina, toda la familia decidió venir a España. El padre tiene 45 años, la madre 43, y sus dos hermanas 26 y 17 años. Como poseen la nacionalidad española, no tienen problemas con los papeles. Le gusta el ambiente y la gente de Barcelona; tiene muchos amigos. Trabaja en la cadena de una fábrica de coches. Está contento con el sueldo, pero el trabajo le resulta muy duro y desearía cambiar. Es diseñador gráfico y le gustaría trabajar en su profesión, pero tiene dificultades para realizar los estudios de convalidación de su título argentino por el español. Ha de pedir en la empresa cambios de turno para ir a clase y con frecuencia no se los conceden. Esto le ha producido fuertes tensiones con sus jefes. Explica que los amigos de su edad estudian mientras él tiene que trabajar. Su situación le resulta muy dura y siente mucha rabia.

Este problema le ha llevado a estar triste, ansioso, con insomnio, irritabilidad y apatía, que relaciona con su situación laboral y profesional. Está de baja porque no se ve con fuerzas para ir a trabajar.

El de Luis Alfonso es un caso de trastorno adaptativo: ni los estresores ni los síntomas que presenta son propios del síndrome de Ulises. No son estresores extremos (tiene los mismos derechos que cualquier español, papeles, trabajo con un sueldo, protección sindical y familia), sino los típicos de un conflicto adaptativo que superan al sujeto por sus limitaciones para afrontarlos, no por su intensidad. Hay apatía y pérdida de la actividad laboral, con lo que nos hallamos ya en el campo del trastorno mental.

Javed: psicosis paranoide

Es un hombre de 30 años, procedente de Pakistán, que vive en Barcelona desde hace ocho años. Es el segundo de siete hermanos. Sus padres y sus hermanos viven allí. Lleva tres años casado con una española y explica que en España le han tratado muy bien. No tiene hijos. Estudia en la universidad. Dice que lo que me va a explicar me parecerá raro: le vigilan desde hace unos meses y está harto de ser sospechoso por el mero hecho de ser musulmán. «Lo que me pasa es como una película», afirma. Tras los atentados del 11-M en Madrid, recibió una carta de la policía en su domicilio pero a nombre de otra persona, también árabe. Unos días después recibió una carta similar a su nombre. Se asustó. Su mujer fue a la policía y le dijeron que había sido un error.

Desde entonces vive sobresaltado. Refiere que cuando sale a la calle le siguen coches de la policía camuflados. Los tenderos del barrio son policías que le vigilan, y en la universidad hay gente muy rara que también le vigila. Dice que todo esto le está generando un gran sufrimiento moral. Tiene molestias osteomusculares y digestivas, inapetencia, insomnio, ansiedad, apatía, irritabilidad, ideas de muerte, tristeza y cefaleas (las ha tenido siempre). El caso de Javed es un ejemplo de inmigrante con un trastorno paranoide relacionado con estresores xenófobos pero que no pertenece al área del síndrome de Ulises. Su sintomatología paranoide es de una gran intensidad y claramente desadaptativa.

Bibliografía

Achotegui, J. (2017), *La inteligencia migratoria. Manual para inmigrantes en dificultades*, Ned, Barcelona.

— (2012), *Los trastornos mentales, un enigmático legado evolutivo. ¿Por qué la evolución ha seleccionado la psicodiversidad y no ha eliminado los trastornos mentales?*, El Mundo de la Mente, Girona.

— (2009), *Estrés y duelo migratorio: conceptos básicos e implicaciones psicopatológicas y psicosociales*, El Mundo de la Mente, Girona.

— (2007), *Cómo evaluar el estrés y el duelo migratorio*, El Mundo de la Mente, Girona.

— (2004a), «Emigrar en situación extrema. El Síndrome del inmigrante con estrés crónico y múltiple (Síndrome de Ulises)», *Norte de Salud Mental*, vol. V, n.º 21, pags. 39-53.

— (2004b) (comp.), Dosier del Diálogo sobre el Síndrome de Ulises del Congreso «Movimientos humanos y migración» del Foro Mundial de las Culturas, Barcelona, 2-5 de septiembre de 2004.

— (2003) (comp.), Dosier de la reunión internacional sobre el Síndrome de Ulises celebrada en Bruselas en la sede del Parlamento Europeo el 5 de noviembre de 2003.

— (2002a), «Trastornos afectivos en los inmigrantes: la influencia de los factores culturales», *Suplemento Temas candentes*, Jano, Barcelona.

— (2002b), *La depresión en los inmigrantes. Una perspectiva transcultural*, Mayo, Barcelona.

— (1999), «Los duelos de la migración: una perspectiva psicopatológica y psicosocial», en E. Perdiguero y J. M. Comelles (comps.), *Medicina y cultura*, Bellaterra, Barcelona, págs. 88-100.

— Lahoz, S., Marxen, E. y Espeso, D. (2005), «Study of 30 cases of immigrants with The Immigrant Syndrome with Chronic and Multiple Stress (The Ulysses Syndrome)», Communication in the XVIII World Congress of Psychiatry, El Cairo.

— Morales, M., Cervera, P., Quirós, C., Pérez, J. V., Gimeno, N., Llopis, A., Moltó, J., Torres, A. M. y Borrell, C. (2010), «Características de los inmigrantes con Síndrome de estrés crónico y múltiple del inmigrante o Síndrome de Ulises», en *Norte de Salud Mental*, vol. VIII, n.º 37, págs. 23-30.

Aguilar, J. (2003), Comunicación personal, Sesión clínica Hospital de Sant Pere Claver, Barcelona.

Agustí, J. (2003), *Fósiles, genes y teorías*, Metatemas. Barcelona.

Alexander, F (1950), *Psychosomatic medium*, Norton, Nueva York.

Amades, J. (1936), «Bruixes i bruixots», *Biblioteca de tradicions populars*, Barcelona.

Anaut, M (2003), *La résilience*, Nathan Université, París.

Antonovsky, A. (1979), *Health, stress and coping*, Jossey-Bass, San Francisco.

Aparicio, R. (2002), «La inmigración en España a comienzos del siglo XXI. Las novedades de las actuales migraciones», en García Castaño, F. J. y Muriel López, C. (eds.), *La inmigración en España: contextos y alternativas*, vol. II, Laboratorio de estudios interculturales, Granada.

Aponte, J., Rivers, R. y Wohl, J. (eds.) (1995), *Psychological Interventions and Cultural Diversity*, Allyn and Bacon, Boston.

Arango, J. (2002), «La inmigración en España a comienzos del siglo XXI. Un intento de caracterización», en García Castaño, F. J. y Muriel López, C. (eds.), *op. cit.*

Bachelor, D. (2000), *Cromofobia*, Síntesis, Madrid.

Bandura, A. (1984), *Social foundations of thought and action: a social cognitive theory*, Englewood Cliffs, Prentice Hall, Nueva Jersey.

Baroja, C. (1966), *Las brujas y su mundo*, Alianza Editorial, Madrid.

Baroja, P. (2004), *Las inquietudes de Shanti Andía*, Cátedra, col. Letras Hispánicas, Madrid.

Beck, A. (1983), *Terapia cognitiva de la depresión*, DDB, Bilbao.

Beck, U. (1992), *Risk Society: Towards a New Modernity*, Sage, Londres.

Beiser, M. (1996), «Adjustment Disorder in DSM-IV: Cultural Considerations», en Mezzich, J. y Kleimman, A. (eds.), *Culture and Psychiatric Diagnosis. A DSM-IV perspective*, American Psychiatric Publishing Inc., Washington.

Benedetti, F. (2010), *The patient's brain. The neuroscience behind the doctor-patient relationship*, Oxford University Press.

Benneditis, G. B. (1990), «The role of the stressful life events in the onset of chronic primary headache», en *Pain*, 40, págs. 65-75.

Berkman, L. F. y Syme, S. L. (1979), «Social networks, host resistance, and mortality: a nine year follow-up study of Alameda County residents», en *American Journal of Epidemiology*, 109, págs. 184-214.

Berrios, G. (2007), «Diagnóstico psiquiátrico transcultural», XV jornadas del SAPPIR, Cosmocaixa, Barcelona.

Bilbeny, N. (2002), *Per una ética intercultural*, Mediterránea, Barcelona.

Bon, D. (1998), *L'animisme*, De Vecchi, París.

Boneva, B. S. y Frieze, I. H. (2001), «Toward a concept of a migrant personality», en *Journal of Social*, 57, págs. 477-490.

Bowlby, J. (1985), *La separación afectiva*, Paidós, Barcelona.

Bowlby, J. (1980), *La pérdida afectiva*, Paidós, Barcelona.

— (1969), *Attachment*, Hogarth Press, Londres.

Bradley, H. B. (1969), «Community-based treatment for young adult offenders», en *Crime and Delinquency*, 15, págs. 863-872.

Brewin, C. R. (2003), *Post-traumatic Stress Disorder. Malady or Mith?*, Yale University Press.

Brown, G. W. (1972), «Life-events and psychiatric illness», en *Journal of Psychosomatic Research*, 16, págs. 311-320.

— y Harris, T. O. (1978), *The social origins of depression*. Free Press, Nueva York.

Bruchon-Schweitzer, M. (2002), *Psychologie de la santé*, Dunod, París.

Buendía, J. (1993), *Estrés y psicopatología*, Pirámide, Madrid.

Bueno, J. R. (2005), *El proceso de ayuda en la intervención psicosocial*, Popular, Madrid.

Bulbena, A. (2007), «Psicopatología descriptiva», Jornadas del SAPPIR.

Calvo, F. (1970), *Qué es ser inmigrante*, Laia, Barcelona.

Campas, B. E. (1987), «Coping with stress during childhood and adolescence», en *Psychological Bulletin*, 98, págs. 310-357.

Campbell, J. (1959), *El héroe de las mil caras*, Fondo de Cultura Económica, México.

Cannon, W. B. (1929), *The wisdom of the body*, Norton, Nueva York.

Caplan, G. (1964), *Principles of preventive psychiatry*, Basics Books, Nueva York.

Caro, I. (2001), *Género y salud mental*, Biblioteca Nueva, Madrid.

Casas, M. (2005), Comunicación personal.

Castilla del Pino, C. (1966), *Un estudio sobre la depresión*, Península. Barcelona.

Cebrián J. A., Bodega, M. I. y López-Sala, A. M. (2000), «Migraciones internacionales: conceptos, modelos y políticas estatales», *Migra-*

ciones, n.º 7, págs. 137-153, Instituto Universitario de Estudios sobre Migraciones.

Checa, F, Checa, J. C. y Arjona, Á. (eds.) (2009), *Las migraciones en el mundo*, Icaria, Barcelona.

Cohen, S. *et al.* (1997), *Measuring stress*, Oxford University Press, Nueva York.

Coleman, J. (1984), *Foundations of social theory*, Belknap Press of Harvard University, Cambridge.

Crawford, M. H. y Campbell, B. C. (2012), *Causes and consequences of human migration*, Cambridge University Press.

Cuijpers, P. (2008), «Factores de riesgo en la depresión: programas de prevención», en *Factores de riesgo en psiquiatría*, Ars Médica, Barcelona.

Cyrulnik, B. (1999), *Un merveilleux malheur*, Odile Jacob, París.

D'Ardenne, P. y Mahtani, A. (1999), *Transcultural counselling in action*, Sage Publications, Londres.

Delgado, M. (1998), *Diversitat i integració*, Empúries, Barcelona.

Devereux, G. (1951), *Psychothérapie d'un indien des plaines*, Fayard, París.

Eliade, M. (1977), *Ocultismo, brujería y modas culturales*, Paidós, Buenos Aires.

— (1972), *El mito del eterno retorno*, Alianza Editorial, Madrid.

Epstein, S. (1979), «The ecological study of emotions in humans», en Blankstein, K. (ed.), *Advances in the study of communications an effect*, págs. 47-83, Plenum, Nueva York.

Espeso, D. (2009), «Estrés crónico y múltiple (Síndrome de Ulises) en población infantil desde una perspectiva multicultural», *Desenvolupa*, n.º 30, págs. 19-39. Associació Catalana d'Atenció precoç.

— (2007), «Estrés crónico y salud mental en los menores inmigrantes», *Revista de Psiquiatría Infanto-Juvenil*, 24, 1, págs. 6-22.

Etxegoyen, R. H. (1986), *Los fundamentos de la técnica psicoanalítica*, Amorrortu, Buenos Aires.

Everly, G. y Laring, J. (2002), *Treatment of the human stress response*, Kluwer Academic/Plenum Publishers, Nueva York.

Ey, E. (1966), *Tratado de psiquiatría*, Masson, Barcelona.

Fanon, F. (1970), *¡Escucha, blanco!*, Nova Terra, Barcelona.

Fernando, S. (ed.) (1995), *Mental Health in a Multi-Ethnic Society*, Routledge, Londres y Nueva York.

Fischer, G.-N. y Tarquinio, C. (2006), *Les concepts fondamentaux de la psychologie de la santé*, Dunod, París.

Font, J. (1999), *Religión, psicopatología y salud mental*, Paidós y Fundació Vidal i Barraquer, Barcelona.

— (1996), «Los afectos en desolación y consolación: lectura psicológica», en Alemany, C. y García-Monge, J. A. (comps.), *Psicología y Ejercicios ignacianos*, vol. 1.

Foucault, M. (2005 [1973]), *El poder psiquiátrico*, Fondo de Cultura Económica, Buenos Aires.

— (1979), «Naissance de la biopolitique», en *Annuaire du Collège de France*, vol. 3.

— (1976), *Vigilar y castigar*, Siglo XXI, México.

— (1966), *Les mots et les choses*, Gallimard, París.

Freeman, A. (1974), *Cognición y psicoterapia*, Paidós, Barcelona.

Freud, S. (2011 [1912]), *Tótem y tabú*, Alianza Editorial, Madrid.

— (2010 [1930]), *El malestar en la cultura*, Alianza Editorial, Madrid.

— (1984a [1917]), *Obras completas: Duelo y melancolía*, tomo VI, págs. 2091-2101, Biblioteca Nueva, Madrid.

— (1984b [1920]), *Obras completas: Más allá del principio del placer*, tomo VII, págs. 2507-2541, Biblioteca Nueva, Madrid.

— (1984c [1925]), *Obras completas: Inhibición, síntoma y angustia*, tomo VIII, págs. 2709-2783, Biblioteca Nueva, Madrid.

Freudenberger, H. J. (1974), «Staff Burnout», en *Journal of Social Issues*, 30, págs. 159-165.

Gailly, A. (1991), «Symbolique de la plainte dans la culture», en *Les Cahiers du Germ*, II, n.º 17, págs. 4-19.

García Gual, C. (2006), «Sobre la Odisea y la hospitalidad», *El País*, 28-1.

Girdano, D. E. *et al.* (2001), *Controlling stress and tension*, 6.ª ed., Allyn and Bacon, Boston.

Gómez Mango, E. (2003), Comunicación personal, Colloque International, París.

González de la Rivera, J. L. (2005), «Migración, cultura, globalización y salud mental», II Jornadas de Salud Mental y Medio Ambiente, conferencia de clausura, Lanzarote.

Goytisolo, J. (1959), *Campos de Níjar*, Seix Barral, Barcelona.

Graziani, P. y Swendsen, J. (2004), *Le stress. Emotions et stratégies d'adaptation*, Nathan, París.

Grinberg, L. y Grinberg, R. (1994), *Psicoanálisis de la migración y el exilio*, Alianza Editorial, Madrid.

Guerraoui, Z. y Troadec, B. (2000), *Psychologie interculturelle*, Armand Colin, París.

Guimón, J., Mezzich, J. E. y Berrios, G. E. (1998), *El diagnóstico en psiquiatría*, Salvat, Barcelona.

Hammen, C. (1991), «The generation of stress in the course of unipolar depression», en *Journal of Abnormal Psychology*, 100, págs. 555-561.

Hobfoll, S. E. (1998), *Stress, culture, and community*, Plenum Press, Nueva York.

Hofstede, G. (1999), *Culturas y organizaciones*, Alianza Editorial, Madrid.

Holmes, T. H. y Rahe, R. (1967), «The social readjustment rating scale», en *Journal of Psychosomatic Research*, 11, págs. 213-218.

Homero (2004), *Odisea*, Alianza Editorial, Madrid.

Horvath, Louise (2015), «Les 6 choses à savoir sur la migration des oiseaux», *Sciences et Avenir*, Infographie animaux.

Horwitz, A. V. y Wakefield, J. C. (2007), *The loss of sadness*, Oxford University Press.

House, J. S. (1981), *Work stress and social support*, Addison-Wesley, Reading, Massachusetts.

Hugo, V. (2017 [1862]), *Los miserables*, Penguin, Barcelona, págs. 1224-1226.

Jackson, S. (1989), *Historia de la melancolia y la depresión*. Turner, Madrid.

Jacobson, E. (1980), *Relajación progresiva*, Lahoz, Madrid.

Jaspers, K. (1946), *Psicopatología general*, Fondo de Cultura Económica, México.

Jenkins, R. y Üstün, B. (1998), *Preventing Mental Illness*, Wiley, Nueva York.

Kanner, A., Coyne, J., Schaefer, C. y Lazarus, R. S. (1981), «Comparison of two modes of stress measurement. Daily hassles and uplifts versus major life events», en *Journal of Behavioral Medicine*, 4, págs. 1-39.

Kareen, J. y Littlewood, R. (1992), *Intercultural Therapy*, Blackell Science, Oxford.

Kavafis, Konstantino (1981), *Poesías completas* (versión de José María Álvarez), Hiperión, Madrid.

Kirtz, S. y Moos, R. H. (1974), «Physiological effects of social environments», en *Psychosomatic Medicine*, 36, págs. 96-114.

Kédia, M. (2008), *Psychotraumatologie*, Dunod, París.

Kessler, R. C. (1995), «Posttraumatic stress disorder in the National Comorbidity Survey», en *Archives of General Psychiatry*, 52(12), págs. 1048-1060.

Kimura, M. (1983), *The neutral theory of molecular evolution*, Cambridge University Press.

Klein, M. (1957), *Envidia y gratitud*, Paidós, Barcelona.

Kleinke, C. L. (1998), *Principios comunes en psicoterapia*, DDB.

Lakatos, I. (1983), *La metodología de los programas de investigación científica*, Alianza Editorial, Madrid.

Lambin, G. (1995), *Homère le compagnon*, CNRS.

Laplanche, J. y Pontalis, J. B. (1997), *Diccionario de psicoanálisis*, Paidós Ibérica. Barcelona.

Lazarus, R. S. (2000), *Estrés y emoción*, Desclée de Brouwer, Bilbao.
— y Delongis, A. (1983), «Psychological stress and coping in aging», en *American Psychologist*, 38, págs. 245-254.
— y Folkman, S. (1986), *Estrés y procesos cognitivos*, Martínez Roca, Madrid.
López-Cabanas, M. y Chacón, F. (1999), *Intervención psicosocial y servicios sociales*, Síntesis, Madrid.
Luong Cân Liêm (2004), *De la psychologie asiatique*, L'Harmattan, París.
Lutz, T. (2001), *El llanto. Historia cultural de las lágrimas*, Taurus, Madrid.
Markez, I. (comp.) (2002), *Respuestas a la exclusión*, Gakoa, San Sebastián.
Martínez, Á. (2008), *Antropología médica*, Anthropos, Barcelona.
Marty, P. (1963), *L'investigation psychosomatique*, PUF, París.
— (1951), «Aspect psychodynamique de l'étude clinique de quelques cas de céphalalgies», en *Revue française de psychanalyse*, 15, 2.
Maslow, A. H. (1962), *El hombre autorrealizado*, Kairós, Barcelona.
McGrath, J. E. (1970), *Social and psychological factors in stress*, Rinehart and Winston, Holt, Nueva York.
McNeil, J. (1999), *El rostro*, Tusquets, Barcelona.
Mezzich, M. D. (1996), *Culture and Psychiatric Diagnosis. A DSM perspectiva*, American Psychiatric Press, Inc., Washington D. C.
Milne, D. (1999), *Social Therapy*, Willey, Nueva York.
Moro, R. M., De la Noë, Q. y Mouchenik, Y. (2004), *Manuel de psychiatrie transculturelle*, La Pensée Sauvage, París.
Mruk, C. (1998), *Autoestima: investigación, teoría y práctica*, Desclée de Brouwer, Bilbao.
Nathan, T. (1999), *Médecins et sorciers*, Les Empêcheurs de penser en rond, París.
Nesse, J. y Williams, J. C. (1994), *Por qué enfermamos*, Grijalbo, Madrid.
Ødegaard, Ø. (1932), «Emigration and insanity», en *Acta Psychiatrica Neurologica Scandinavica*, 4, págs. 1-206.
Ogden, L. (2008), *Exercise and Mental Health*, New Books, Londres.

Ortega-Monasterio, L. (2006), «Psiquiatría forense y migración», Congreso de Logroño.

Ortigues, M. C. y Ortigues, E. (1974), *Edipo africano*, Noé, París.

Páez, D. y Casullo, M. (comp.) (2000), *Cultura y alexitimia*, Paidós, Barcelona.

Pajares, M. (2007), *Inmigrantes del este*, Icaria, Barcelona.

Pardellas, J. M. (2004), *Héroes de ébano*, Idea, Tenerife.

Paris, J. (2015), *Overdiagnosis in Psychiatry*, Oxford University Press.

Paulhan, I. y Bourgeois, M. (1995), *Stress et coping*, Nodules, PUF.

Phillips, K. *et al.* (2004), *Avances en el DSM*, Masson, Barcelona.

Pike, K. L. (1967), *Language in relation to a unified theory of the structure of human behavior*, 2.ª ed., Mouton, La Haya.

Poch, J. y Ávila, A. (comp.) (1998), *Manual de técnicas de psicoterapia. Un enfoque psicoanalítico*, Siglo XXI, Madrid.

Poema de Gilgamesh (1998), Tecnos, Madrid.

Popper, K. (1963), *Conjectures and Refutations*, Routledge and Kegan Paul, Londres.

Pupponi, F. (2006), *La France d'un dessous. Banlieus: chronique d'un aveuglement*, PUF, París.

Reeve, J. (2002), *Motivación y emoción*, McGraw-Hill, Madrid.

Ribas, N. (2004), *Una invitación a la sociología de las migraciones*, Bellaterra, Barcelona.

Roheim, G. (1982), *Magia y esquizofrenia*, Paidós, Buenos Aires.

Roji, M. B. (1986), *La entrevista terapéutica. Comunicación e interacción en psicoterapia*, Cuadernos de la UNED, Madrid.

Romacho, J. M. (2006), «El mobbing», en Achotegui, J. (ed.), *Estrés crónico y salud mental*, Mayo, Barcelona.

Ros, A. (2006), «Internet y migración», Jornadas del SAPPIR.

Rotter, M. (1966), «Generalized expectancies for internal versus external control of reinforcement», en *Psychological Monographs*, 80, págs. 1-28.

Sánchez Planell *et al.* (2008), *Factores de riesgo en psiquiatría*, Ars Médica, Barcelona.

Sandi, C. y Calés, J. M. (2000), *Estrés: consecuencias psicológicas, fisiológicas y clínicas*, Sanz y Torres, Madrid.

— , Venero, C. y Cordero, M. I. (2001), *Estrés, memoria y trastornos asociados*, Ariel, Madrid.

Sarafino, E. P. (1990), *Health Psychology: Biopsychological interactions*, John Wiley, New Cork.

Schultz, J. H. (1980), *Desensitization: relaxation technique*, Rodale Press, Nueva York.

Seligman, M. E. P. (2002), *La auténtica felicidad*, Ediciones B, Barcelona.

— (1975), *Helplessness: on depression, development and death*, W. H. Freeman, San Francisco.

Selye, H. (1974), *Stress without distress*, Lippincott, Philadelphia.

— (1956), *The stress of life*, McGraw-Hill, Nueva York.

Silventoinen, K. *et al.* (2008), «Selective international migration by social position, health behavior and personality», en *European Journal of Public Health*, 18, págs. 150-155.

Sow, I. (1978), *La folie en Afrique Noire*, Payot, París.

Suser, J. *et al.* (2006), *Psychiatric Epidemiology*, Oxford University Press, Nueva York.

Talarm, T. (2008), *Salud mental y globalización*, Herder, Barcelona.

Tanaka, N. (2007), «Assessment with the Ulysses' scale», Congress of World Psychiatric Association, Guadalajara, México.

Tizón, J. (2005), *Pérdida, pena, duelo*, Paidós, Barcelona.

— , Salamero, M., Sanjosé, J., Pellejero, N., Achotegui, J. y Sainz, F. (1993), *Migraciones y salud mental*, PPU, Barcelona.

Toker, R. y Toker, E. (2003), *El pueblo elegido y otros chistes judíos*, Grijalbo Mondadori, Buenos Aires.

Vander Zanden, J. W. (1994), *Manual de psicología social*, Paidós, Barcelona.

Vázquez, J. (2005), «Estudio de la salud mental de una población en un área de atención primaria en Almería», Ponencia en el VIII Congreso de la Asociación Andaluza de Neuropsiquiatría, Almería, Grupo de Atención al Inmigrante SAMFYC.

Vega, W. A., Kolody, B. y Aguilar-Gaxiola, S. (1998), «Lifetime prevalence of psychiatric disorders among mexican Americans», en *Archives of Psychiatry*, septiembre, págs. 771-781.

Vingerhoets, A. J. *et al.* (2007), «Is there a relationship between depression and crying? A review», en *Acta Psychiatrica Scandinavica*, vol. 115, 5, págs. 340-351.

Werner, E. y Rutter, R. (1982), *Vulnerable but invincible: a longitudinal study of resilient children and youth*, MacGraw-Hill, Nueva York.

Wolf, T. (1988), *La hoguera de las vanidades*, Anagrama, Barcelona.

Zapata-Barrero, R. (2004), *Inmigración, innovación política y cultura de la acomodación en España*, CIDOB, Barcelona.

La inteligencia migratoria
Manual para inmigrantes en dificultades
Joseba Achotegui
ISBN: 978-84-16737-21-5 / 176 pp. / 14,90 €

En un mundo en el que los muros y las barreras que afectan a los inmigrantes y sus familias son cada vez más altos y más peligrosos de cruzar, *La inteligencia Migratoria* ofrece una serie de estrategias emocionales, físicas y sociales para resistir y superar las dificultades, el estrés y los duelos que conlleva abandonar los orígenes. Basándose en la evidencia científica, pero con un lenguaje próximo y ameno, este libro constituye un valioso apoyo ante las situaciones de miedo, soledad e indefensión. Una ayuda imprescindible frente al sufrimiento que hace unos años el autor denominó «Síndrome de Ulises» en recuerdo del héroe griego que, como los migrantes, peregrinó durante años con la nostalgia a cuestas, por estar lejos de su tierra y de su gente. El psiquiatra Joseba Achotegui hace acopio en este manual de los métodos más eficaces para superar las adversidades y desarrollar una actitud resiliente tras décadas de intenso trabajo dedicado a asistir a los inmigrantes, exiliados y desplazados.